REGARDS SUR L'ŒUVRE

LA MONARCHIE DE JUILLET	IIe RÉPUBLIQUE	SECOND EMPIRE (NAPOLÉON III)	IIIe RÉPUBLIQUE
1830	1848	1852	1870 (guerre franco-allemande) 1871 La Commune de Paris 1882 (lois scolaires de J. Ferry)

Auteur	Dates
BALZAC	1850
HUGO	1885
FLAUBERT	1880
VALLÈS	1832 – 1885
ZOLA	1840 – 1902
MAUPASSANT	**1850 – 1893**

ŒUVRES DE MAUPASSANT

1880 *Boule-de-Suif* •

1881 *La Maison Tellier* •

1883 *Une vie* ◊
Contes de la bécasse •

1884 *Clair de lune* •

1885 *Yvette* •
Contes du jour et de la nuit •
Bel-Ami ◊

1887 *Mont-Oriol* ◊

1888 *Pierre et Jean* ◊

1889 *La Main gauche* •

◊ Roman • Nouvelle

* Les astérisques renvoient à l'index des termes de critique p. 240.

L'Enfant et autres histoires de famille

MAUPASSANT

Ouvrage publié sous la direction de
MARIE-HÉLÈNE PRAT

Édition présentée par
JOËLLE IBÉRO
Agrégée de Lettres classiques
ISABELLE SIGNORET
Certifiée de Lettres modernes

www.universdeslettres.com

Voir « LE TEXTE ET SES IMAGES » p. 182
pour l'exploitation de l'iconographie de ce dossier.

1. *Un meeting*, peinture de Marie Bashkirtseff, 1884.
(Musée d'Orsay, Paris.)

ENFANTS : JEUX ET SOLITUDE

2. *Enfant et femme dans un intérieur*, peinture de Paul Mathey (1844-1929). (Musée d'Orsay, Paris.)

LES FEMMES : DES IMAGES CONTRASTÉES

3. *Baigneuse à Boulogne-sur-mer*, 1907. (Bibliothèque des Arts décoratifs, Paris.)

5. *Dans l'omnibus*, peinture de M. Delondre, 1890. (Musée d'Orsay, Paris.) ▶

4. *Alphonsine Fournaise*, peinture de Pierre Auguste Renoir, 1875. (Musée d'Orsay, Paris.)

6. *Portrait de famille*, peinture de Jacques Louis David (1748-1825). (Musée de Tessé, Le Mans.)

SCÈNES FAMILIALES
LA PATERNITÉ REPRÉSENTÉE

7. *Le Repas de midi*, peinture de Léon Augustin Lhermitte (1844-1925). (Towneley Hall, Art Gallery and Museum, Burnley.)

8. Michel Boujenah et Roland Giraud dans *Trois hommes et un couffin*, film de Coline Serreau, 1985.

9. *Cour de ferme en Normandie*, peinture de Claude Monet (1840-1926). (Musée du Louvre, Paris.)

LA NATURE ORDONNÉE, CADRE DE VIE DES PAYSANS

LIRE AUJOURD'HUI
L'ENFANT
ET AUTRES HISTOIRES DE FAMILLE

De bien curieuses histoires… Un enfant sans père est persécuté par ses camarades. Une petite fille achète l'amour d'un garçon indifférent. Une bourgeoise veut s'acheter un enfant pauvre. Un fils reproche à ses parents de ne pas l'avoir vendu. Un jeune homme rate sa vie par obéissance à ses parents, un autre ne sait vivre que dans l'ombre de son père. Des hommes se souviennent trop tard qu'ils ont eu des enfants. Des femmes les élèvent seules ou « refont » leur vie. Une jeune mariée adopte l'enfant de la maîtresse de son époux…

Tous les personnages de ces nouvelles, pris au piège dans des situations familiales ou sociales qui les dépassent, nous émeuvent, nous choquent et nous font sourire tout à la fois. Si l'ensemble des récits offre une tonalité sombre et pessimiste, celle-ci est tempérée en même temps que soulignée par « la gaieté, l'ironie amusante », « la bonne humeur de l'écrivain », selon les propres dires de Maupassant (*Prière d'insérer* pour les *Contes de la bécasse*). Impossible, surtout, de résister à la densité et la rapidité de ces nouvelles qui, en quelques pages, entraînent le lecteur jusqu'à un dénouement souvent brutal.

Parce qu'ils évoquent la vie en France au dix-neuvième siècle, ces récits nous surprennent parfois, et les filles perdues, les enfants bâtards et les pères tout-puissants peuvent nous sembler appartenir à un passé révolu. Mais l'exclusion, la pauvreté, le pouvoir de l'argent, l'autorité parentale, la condition des femmes, l'amour et le mariage, la connaissance de ses origines, la recherche de son identité ne sont-ils pas toujours des préoccupations fondamentales d'aujourd'hui ?

Illustration de Le Natur pour *L'Enfant*, 1884.
(Bibliothèque nationale de France, Paris.)

REPÈRES

L'AUTEUR : Guy de Maupassant.

PUBLICATIONS : entre 1881 et 1889.

LE GENRE : nouvelles publiées d'abord par la presse puis en recueils sans réelle unité thématique (la première nouvelle donnant son titre au volume). Le XIXe siècle est le siècle de la nouvelle.

LE CONTEXTE

• La IIIe République, bien installée après les incertitudes et les secousses des années 1870. Le développement de l'industrie, du commerce, des affaires dans une France qui reste encore très rurale.

• Le succès du roman « naturaliste » : Zola, Maupassant, les frères Goncourt, Daudet.

• Pour Maupassant, une lente mais inéluctable dégradation de son état de santé qui le conduira à la folie et à la mort en 1893.

LES NOUVELLES

• **Forme et structure :** de courts récits de quelques pages.

• **Lieu et temps :** la campagne normande et aussi Paris, dans les années 1880.

• **Personnages :** fermiers aisés et ouvriers agricoles, classes moyennes et grands bourgeois parisiens.

• **Intrigue :** dans les quelques pages d'une nouvelle, c'est très souvent toute une vie qui est évoquée, avec le poids des contraintes sociales et des préjugés de l'époque.

LES ENJEUX

• Des récits brefs qui, avec une grande économie de moyens, mènent le lecteur à un dénouement* souvent brutal, toujours inattendu.

• Des histoires qui amusent et émeuvent le lecteur.

• Des personnages pris dans des situations qui les dépassent et qu'ils ne dominent pas.

MAUPASSANT ET *L'ENFANT*...

1850-1870. LES ANNÉES D'ENFANCE ET DE JEUNESSE

Guy de Maupassant est **né en Normandie** le 5 août 1850, au château de Miromesnil, non loin de Dieppe. Son père, Gustave de Maupassant, vient tout juste d'obtenir l'autorisation légale de joindre à son nom la particule aristocratique. Sa mère, Laure Le Poittevin, appartient à une famille bourgeoise de Rouen ; c'est une amie de Gustave Flaubert, qui, plus tard, jouera un rôle important dans la carrière littéraire de Guy. Un frère, Hervé, naît en 1856. Mais les relations entre les parents ne sont pas bonnes. En 1859, le père, pour faire face à des revers de fortune, doit prendre un emploi dans une banque et installer sa famille à Paris. La séparation de fait des époux intervient en 1860 : la mère s'établit avec ses deux enfants à Étretat où elle vient d'acquérir une maison.

Guy reçoit une éducation conforme à son époque et à son milieu : sa mère et un abbé lui enseignent d'abord les rudiments. En 1863, sa mère l'inscrit à l'Institut ecclésiastique d'Yvetot, où l'enfant se sent enfermé. Aux vacances, il retrouve avec bonheur **la campagne et surtout la mer** pour laquelle il s'est pris de passion : dès 1864, il supplie sa mère de lui acheter un bateau, une vraie barque de pêcheur.

En mai 1868, il est renvoyé de son école pour avoir écrit des vers irrespectueux. Il termine ses études au lycée de Rouen et est reçu bachelier en 1869. Il entame alors des études de droit à Paris, où il occupe une chambre dans le même immeuble que son père.

1870. UNE ANNÉE DÉCISIVE

Le 18 juillet 1870, la France entre en guerre contre la Prusse. Maupassant, qui a vingt ans, est mobilisé dans l'intendance à

Maison de famille de Guy de Maupassant, à Fécamp (Seine-Maritime).

Rouen. Lors de la déroute française, il regagne Paris. De cette expérience directe il gardera **une profonde horreur de la guerre** et un antimilitarisme virulent dont on trouve l'écho dans plusieurs de ses œuvres ou dans ses chroniques de journaliste. Après l'armistice de janvier 1871, Maupassant revient en Normandie ; il se trouve donc loin de Paris lors de l'insurrection de la Commune (mars-mai 1871). Vers novembre, il profite du procédé, peu démocratique, du remplacement[1] et peut enfin quitter l'armée.

1871-1879. LES ANNÉES-CHARNIÈRES

Ne pouvant reprendre ses études de droit faute de ressources suffisantes, il entre alors comme employé dans un ministère. Le travail monotone des bureaux, la maigre rémunération lui apportent peu de satisfactions. Dès qu'il le peut, à la fin de la semaine, il s'échappe de Paris pour retrouver l'eau et la nature à Argenteuil, Bougival, La Frette ; il séjourne aussi fréquemment à Étretat.

L'écriture l'attire : il s'exerce à des genres divers (poésie, théâtre, quelques nouvelles) ; surtout, **il fréquente les milieux littéraires**. Il rencontre régulièrement Flaubert qui le conseille, et le réprimande aussi pour son manque de travail. Il se lie avec Edmond de Goncourt, Zola, Tourgueniev, Mirbeau, Huysmans.

Vers la fin de cette période, il ressent les premières atteintes de la syphilis, maladie incurable à cette époque.

1880. LE DÉBUT DU SUCCÈS

Sa nouvelle *Boule-de-Suif* est accueillie comme un chef-d'œuvre non seulement par ses amis écrivains mais aussi par le public. Trois semaines plus tard, Flaubert, son père en littérature, meurt : une disparition vivement ressentie par Maupassant.

1. Le départ au service militaire se faisait par tirage au sort. Les jeunes gens aisés payaient des « remplaçants » moins fortunés pour partir à leur place.

1881-1890. LES ANNÉES DE PRODUCTION

Pendant ces dix années, Maupassant va écrire environ **300 contes et nouvelles**, 8 romans (dont deux resteront inachevés) et près de 200 chroniques et relations de voyages, sans parler de sa prodigieuse correspondance.

Une production de cette ampleur s'explique par son départ du ministère et par l'aisance que lui apporte sa collaboration (libre mais irrégulière) à des journaux : essentiellement *Le Gaulois* et *Gil Blas*. Ses nouvelles sont ensuite publiées en une quinzaine de recueils. Son premier roman, *Une vie*, paraît en 1883, puis *Bel-Ami* en 1885.

Maupassant voyage aussi beaucoup (Normandie, Côte d'Azur, Afrique du Nord, Italie) et fréquente la haute société parisienne. De 1884 à 1886, il suit avec intérêt les cours de psychiatrie du Dr Charcot à l'hôpital de la Salpêtrière – en 1885, un certain Freud, fondateur de la psychanalyse, y assiste aussi.

À la fin de 1889, son frère Hervé, interné depuis quelques mois pour troubles mentaux, meurt. Encore une mort cruellement ressentie par Maupassant. Son état de santé l'inquiète : aux migraines et aux troubles oculaires s'ajoutent pertes de mémoire et parfois perte de la parole, au point qu'il tente de se suicider dans la nuit du 1er au 2 janvier 1892. Interné dans la clinique du Dr Blanche à Passy, il meurt le 6 juillet 1893.

LES CONTES ET NOUVELLES

Ces œuvres brèves ont été **écrites pour des journaux**, et leur construction et leur style s'en trouvent marqués (voir p. 198). On a réuni ici des textes parus dans la presse (de 1879 à 1889), et publiés dans des recueils différents : *La Maison Tellier* (1881), *Contes de la bécasse* (1883), *Clair de lune* (1884), *Yvette* (1885), *Contes du jour et de la nuit* (1885) et *La Main gauche* (1889). **Histoires de famille et d'enfants** : ce thème, important dans l'œuvre de Maupassant, est l'enjeu commun de ces dix récits.

Guy de Maupassant

L'Enfant et autres histoires de famille

MAUPASSANT

nouvelles

publiées pour la première fois entre 1881 et 1889

Le papa de Simon

Midi finissait de sonner. La porte de l'école s'ouvrit, et les gamins se précipitèrent en se bousculant pour sortir plus vite. Mais au lieu de se disperser rapidement et de rentrer dîner[1], comme ils le faisaient chaque jour, ils s'arrêtèrent à quelques pas, se réunirent par groupes et se mirent à chuchoter.

C'est que, ce matin-là, Simon, le fils de la Blanchotte, était venu à la classe pour la première fois.

Tous avaient entendu parler de la Blanchotte dans leurs familles ; et quoiqu'on lui fît bon accueil en public, les mères la traitaient entre elles avec une sorte de compassion un peu méprisante qui avait gagné les enfants sans qu'ils sussent du tout pourquoi.

Quant à Simon, ils ne le connaissaient pas, car il ne sortait jamais, et il ne galopinait[2] point avec eux dans les rues du village ou sur les bords de la rivière. Aussi ne l'aimaient-ils guère ; et c'était avec une certaine joie, mêlée d'un étonnement considérable, qu'ils avaient accueilli et qu'ils s'étaient répété l'un à l'autre cette parole dite par un gars de quatorze ou quinze ans qui paraissait en savoir long tant il clignait finement des yeux :

« Vous savez... Simon... eh bien, il n'a pas de papa. »

Le fils de la Blanchotte parut à son tour sur le seuil de l'école.

Il avait sept ou huit ans. Il était un peu pâlot, très propre, avec l'air timide, presque gauche.

Il s'en retournait chez sa mère quand les groupes de ses camarades, chuchotant toujours et le regardant

---

1. **Dîner :** déjeuner (terme vieilli ou régional).
2. **Galopiner :** s'amuser.

avec les yeux malins et cruels des enfants qui méditent un mauvais coup, l'entourèrent peu à peu et finirent par l'enfermer tout à fait. Il restait là, planté au milieu d'eux, surpris et embarrassé, sans comprendre ce qu'on allait lui faire. Mais le gars qui avait apporté la nouvelle, enorgueilli du succès obtenu déjà, lui demanda :

« Comment t'appelles-tu, toi ? »

Il répondit : « Simon.

– Simon quoi ? » reprit l'autre.

L'enfant répéta tout confus : « Simon. »

Le gars lui cria : « On s'appelle Simon quelque chose… c'est pas un nom, ça… Simon. »

Et lui, prêt à pleurer, répondit pour la troisième fois : « Je m'appelle Simon. »

Les galopins se mirent à rire. Le gars triomphant éleva la voix : « Vous voyez bien qu'il n'a pas de papa. »

Un grand silence se fit. Les enfants étaient stupéfaits par cette chose extraordinaire, impossible, monstrueuse, – un garçon qui n'a pas de papa ; ils le regardaient comme un phénomène[1], un être hors de la nature, et ils sentaient grandir en eux ce mépris, inexpliqué jusque-là, de leurs mères pour la Blanchotte.

Quant à Simon, il s'était appuyé contre un arbre pour ne pas tomber ; et il restait comme atterré[2] par un désastre irréparable. Il cherchait à s'expliquer. Mais il ne pouvait rien trouver pour leur répondre, et démentir cette chose affreuse qu'il n'avait pas de papa. Enfin, livide, il leur cria à tout hasard : « Si, j'en ai un.

– Où est-il ? » demanda le gars.

---

1. **Phénomène :** individu anormal (ex. : veau à cinq pattes) comme on en montrait dans les foires ou dans les cirques.
2. **Atterré :** accablé, consterné.

Simon se tut ; il ne savait pas. Les enfants riaient, très excités ; et ces fils des champs, plus proches des bêtes, éprouvaient ce besoin cruel qui pousse les poules d'une basse-cour à achever l'une d'entre elles aussitôt qu'elle est blessée. Simon avisa tout à coup un petit voisin, le fils d'une veuve, qu'il avait toujours vu, comme lui-même, tout seul avec sa mère.

« Et toi non plus, dit-il, tu n'as pas de papa.

– Si, répondit l'autre, j'en ai un.

– Où est-il ? riposta Simon.

– Il est mort, déclara l'enfant avec une fierté superbe[1], il est au cimetière, mon papa. »

Un murmure d'approbation courut parmi les garnements, comme si ce fait d'avoir son père mort au cimetière eût grandi leur camarade pour écraser cet autre qui n'en avait point du tout.

Et ces polissons, dont les pères étaient, pour la plupart, méchants, ivrognes, voleurs et durs à leurs femmes, se bousculaient en se serrant de plus en plus, comme si eux, les légitimes[2], eussent voulu étouffer dans une pression celui qui était hors la loi.

L'un, tout à coup, qui se trouvait contre Simon, lui tira la langue d'un air narquois[3] et lui cria :

« Pas de papa ! pas de papa ! »

Simon le saisit à deux mains aux cheveux et se mit à lui cribler les jambes de coups de pieds, pendant qu'il lui mordait la joue cruellement. Il se fit une bousculade énorme. Les deux combattants furent séparés, et Simon se trouva frappé, déchiré, meurtri, roulé par terre, au milieu du cercle des galopins qui applaudissaient. Comme il se relevait, en nettoyant machinale-

1. **Superbe :** éclatante (étymologiquement : orgueilleuse).
2. **Légitimes :** nés d'une union légale, le mariage.
3. **Narquois :** moqueur.

ment avec sa main sa petite blouse toute sale de poussière, quelqu'un lui cria :

« Va le dire à ton papa. »

Alors il sentit dans son cœur un grand écroulement. Ils étaient plus forts que lui, ils l'avaient battu, et il ne pouvait point leur répondre car il sentait bien que c'était vrai qu'il n'avait pas de papa. Plein d'orgueil, il essaya pendant quelques secondes de lutter contre les larmes qui l'étranglaient. Il eut une suffocation, puis, sans cris, il se mit à pleurer par grands sanglots qui le secouaient précipitamment.

Alors une joie féroce éclata chez ses ennemis, et naturellement, ainsi que les sauvages dans leurs gaietés terribles, ils se prirent par la main et se mirent à danser en rond autour de lui, en répétant comme un refrain : « Pas de papa ! pas de papa ! »

Mais Simon tout à coup cessa de sangloter. Une rage l'affola. Il y avait des pierres sous ses pieds ; il les ramassa et, de toutes ses forces, les lança contre ses bourreaux. Deux ou trois furent atteints et se sauvèrent en criant ; et il avait l'air tellement formidable[1] qu'une panique eut lieu parmi les autres. Lâches, comme l'est toujours la foule devant un homme exaspéré, ils se débandèrent[2] et s'enfuirent.

Resté seul, le petit enfant sans père se mit à courir vers les champs, car un souvenir lui était venu qui avait amené dans son esprit une grande résolution. Il voulait se noyer dans la rivière.

Il se rappelait en effet que, huit jours auparavant, un pauvre diable qui mendiait sa vie s'était jeté dans l'eau parce qu'il n'avait plus d'argent. Simon était là lorsqu'on le repêchait ; et le triste bonhomme, qui lui

1. **Formidable :** redoutable, terrible.
2. **Se débandèrent :** se dispersèrent en désordre.

semblait ordinairement lamentable, malpropre et laid, l'avait alors frappé par son air tranquille, avec ses joues pâles, sa longue barbe mouillée et ses yeux ouverts, très calmes. On avait dit alentour : « Il est mort. » Quelqu'un avait ajouté : « Il est bien heureux maintenant. » Et Simon voulait aussi se noyer, parce qu'il n'avait pas de père, comme ce misérable qui n'avait pas d'argent.

Il arriva tout près de l'eau et la regarda couler. Quelques poissons folâtraient, rapides, dans le courant clair, et, par moments, faisaient un petit bond et happaient des mouches voltigeant à la surface. Il cessa de pleurer pour les voir, car leur manège[1] l'intéressait beaucoup. Mais, parfois, comme dans les accalmies d'une tempête passent tout à coup de grandes rafales de vent qui font craquer les arbres et se perdent à l'horizon, cette pensée lui revenait avec une douleur aiguë : « Je vais me noyer parce que je n'ai point de papa. »

Il faisait très chaud, très bon. Le doux soleil chauffait l'herbe. L'eau brillait comme un miroir. Et Simon avait des minutes de béatitude[2], de cet alanguissement[3] qui suit les larmes, où il lui venait de grandes envies de s'endormir là, sur l'herbe, dans la chaleur.

Une petite grenouille verte sauta sous ses pieds. Il essaya de la prendre. Elle lui échappa. Il la poursuivit et la manqua trois fois de suite. Enfin il la saisit par l'extrémité de ses pattes de derrière et se mit à rire en voyant les efforts que faisait la bête pour s'échapper. Elle se ramassait sur ses grandes jambes, puis, d'une détente brusque, les allongeait subitement, raides

1. **Manège :** comportement.
2. **Béatitude :** très grand bonheur, euphorie.
3. **Alanguissement :** mollesse.

SITUER

Simon, désespéré par les moqueries des autres enfants, court vers la rivière avec l'intention de s'y noyer.

RÉFLÉCHIR

GENRES : le récit et son rythme

1. Quels sont les temps utilisés dans le passage ? Justifiez leur emploi.

2. Relevez les verbes qui désignent ce que fait Simon. Comment est-il distrait de son obsession ? Comment y est-il ramené ?

THÈMES : le rôle de la nature

3. Quel est le « manège » qui arrête les pleurs de Simon ? Comment renouvelle-t-il lui-même ce manège avec la grenouille ?

4. Quel est le point commun entre Simon et la grenouille ?

5. Quel rôle les éléments naturels jouent-ils dans ce passage ?

REGISTRES ET TONALITÉS : un désespoir d'enfant

6. Donnez tous les termes qui évoquent la peine de Simon. Où sont-ils localisés ? Concluez sur le ton* du passage.

QUI PARLE ? QUI VOIT ? La tentation

7. Quels sont les éléments qui, dans tout le passage, évoquent explicitement* ou implicitement* l'idée de la mort ?

8. Pourquoi l'arrivée de l'ouvrier dans le passage qui suit immédiatement est-elle bienvenue, voire providentielle ?

9. De quel point de vue* cette arrivée est-elle racontée ? Quels détails le prouvent ?

ÉCRIRE

10. En utilisant les quatre rubriques du questionnaire ci-dessus, vous rédigerez un commentaire organisé de ce texte.

comme deux barres ; tandis que, l'œil tout rond avec son cercle d'or, elle battait l'air de ses pattes de devant qui s'agitaient comme des mains. Cela lui rappela un joujou fait avec d'étroites planchettes de bois clouées en zigzag les unes sur les autres, qui, par un mouvement semblable, conduisaient l'exercice de petits soldats piqués dessus. Alors, il pensa à sa maison, puis à sa mère, et, pris d'une grande tristesse, il recommença à pleurer. Des frissons lui passaient dans les membres ; il se mit à genoux et récita sa prière comme avant de s'endormir. Mais il ne put l'achever, car des sanglots lui revinrent si pressés, si tumultueux, qu'ils l'envahirent tout entier. Il ne pensait plus ; il ne voyait plus rien autour de lui et il n'était occupé qu'à pleurer.

Soudain, une lourde main s'appuya sur son épaule et une grosse voix lui demanda : « Qu'est-ce qui te fait donc tant de chagrin, mon bonhomme ? »

Simon se retourna. Un grand ouvrier qui avait une barbe et des cheveux noirs tout frisés le regardait d'un air bon. Il répondit avec des larmes plein les yeux et plein la gorge :

« Ils m'ont battu… parce que… je… je… n'ai pas… de papa… pas de papa…

– Comment, dit l'homme en souriant, mais tout le monde en a un ! »

L'enfant reprit péniblement au milieu des spasmes[1] de son chagrin : « Moi… moi… je n'en ai pas. »

Alors l'ouvrier devint grave ; il avait reconnu le fils de la Blanchotte, et, quoique nouveau dans le pays, il savait vaguement son histoire.

1. **Spasmes :** hoquets.

Charlie Chaplin et Jackie Coogan dans *The Kid (Le Gosse)*,
film de Charlie Chaplin, 1921.

« Allons, dit-il, console-toi, mon garçon, et viens-t'en avec moi chez ta maman. On t'en donnera... un papa. »

Ils se mirent en route, le grand tenant le petit par la main, et l'homme souriait de nouveau, car il n'était pas fâché de voir cette Blanchotte, qui était, contait-on, une des plus belles filles du pays ; et il se disait peut-être, au fond de sa pensée, qu'une jeunesse[1] qui avait failli pouvait bien faillir[2] encore.

Ils arrivèrent devant une petite maison blanche, très propre.

« C'est là », dit l'enfant, et il cria : « Maman ! »

Une femme se montra, et l'ouvrier cessa brusquement de sourire, car il comprit tout de suite qu'on ne badinait[3] plus avec cette grande fille pâle qui restait sévère sur sa porte, comme pour défendre à un homme le seuil de cette maison où elle avait été déjà trahie par un autre. Intimidé et sa casquette à la main, il balbutia :

« Tenez, Madame, je vous ramène votre petit garçon qui s'était perdu près de la rivière. »

Mais Simon sauta au cou de sa mère et lui dit en se remettant à pleurer :

« Non, maman, j'ai voulu me noyer, parce que les autres m'ont battu... m'ont battu... parce que je n'ai pas de papa. »

Une rougeur cuisante couvrit les joues de la jeune femme, et, meurtrie jusqu'au fond de sa chair, elle embrassa son enfant avec violence pendant que des larmes rapides lui coulaient sur la figure. L'homme ému restait là, ne sachant comment partir. Mais Simon soudain courut vers lui et lui dit :

« Voulez-vous être mon papa ? »

1. **Jeunesse :** fille ou femme très jeune (terme vieilli ou régional).
2. **Faillir :** commettre une faute ; ici, se laisser séduire.
3. **Badinait :** s'amusait, plaisantait.

Un grand silence se fit. La Blanchotte, muette et torturée de honte, s'appuyait contre le mur, les deux mains sur son cœur. L'enfant, voyant qu'on ne lui répondait point, reprit :

« Si vous ne voulez pas, je retournerai me noyer. »

L'ouvrier prit la chose en plaisanterie et répondit en riant :

« Mais oui, je veux bien.

– Comment est-ce que tu t'appelles, demanda alors l'enfant, pour que je réponde aux autres quand ils voudront savoir ton nom ?

– Philippe », répondit l'homme.

Simon se tut une seconde pour bien faire entrer ce nom-là dans sa tête, puis il tendit les bras, tout consolé, en disant :

« Eh bien ! Philippe, tu es mon papa. »

L'ouvrier, l'enlevant de terre, l'embrassa brusquement sur les deux joues, puis il s'enfuit très vite à grandes enjambées.

Quand l'enfant entra dans l'école, le lendemain, un rire méchant l'accueillit ; et à la sortie, lorsque le gars voulut recommencer, Simon lui jeta ces mots à la tête, comme il aurait fait d'une pierre : « Il s'appelle Philippe, mon papa. »

Des hurlements de joie jaillirent de tous les côtés :

« Philippe qui ?... Philippe quoi ?... Qu'est-ce que c'est que ça, Philippe ?... Où l'as-tu pris, ton Philippe ? »

Simon ne répondit rien ; et, inébranlable dans sa foi, il les défiait de l'œil, prêt à se laisser martyriser plutôt que de fuir devant eux. Le maître d'école le délivra et il retourna chez sa mère.

Pendant trois mois, le grand ouvrier Philippe passa souvent près de la maison de la Blanchotte et, quelquefois, il s'enhardissait à lui parler lorsqu'il la voyait cousant auprès de sa fenêtre. Elle lui répondait poliment, toujours grave, sans rire jamais avec lui, et sans le laisser entrer chez elle. Cependant, un peu fat[1], comme tous les hommes, il s'imagina qu'elle était souvent plus rouge que de coutume lorsqu'elle causait avec lui.

Mais une réputation tombée est si pénible à refaire et demeure toujours si fragile que, malgré la réserve ombrageuse[2] de la Blanchotte, on jasait[3] déjà dans le pays.

Quant à Simon, il aimait beaucoup son nouveau papa et se promenait avec lui presque tous les soirs, la journée finie. Il allait assidûment à l'école et passait au milieu de ses camarades fort digne, sans leur répondre jamais.

Un jour, pourtant, le gars qui l'avait attaqué le premier lui dit :

« Tu as menti, tu n'as pas un papa qui s'appelle Philippe.

– Pourquoi ça ? » demanda Simon très ému.

Le gars se frottait les mains. Il reprit :

« Parce que si tu en avais un, il serait le mari de ta maman. »

Simon se troubla devant la justesse de ce raisonnement, néanmoins il répondit : « C'est mon papa tout de même.

– Ça se peut bien, dit le gars en ricanant, mais ce n'est pas ton papa tout à fait. »

1. **Fat :** vaniteux, prétentieux.
2. **Ombrageuse :** qui s'inquiète, méfiante.
3. **Jasait :** faisait des commentaires malveillants, des commérages.

Le petit à la Blanchotte[1] courba la tête et s'en alla rêveur du côté de la forge au père Loizon, où travaillait Philippe.

Cette forge était comme ensevelie sous les arbres. Il y faisait très sombre ; seule, la lueur rouge d'un foyer formidable éclairait par grands reflets cinq forgerons aux bras nus qui frappaient sur leurs enclumes avec un terrible fracas. Ils se tenaient debout, enflammés comme des démons, les yeux fixés sur le fer ardent qu'ils torturaient ; et leur lourde pensée montait et retombait avec leurs marteaux.

Simon entra sans être vu et alla tout doucement tirer son ami par la manche. Celui-ci se retourna. Soudain le travail s'interrompit, et tous les hommes regardèrent, très attentifs. Alors, au milieu de ce silence inaccoutumé, monta la petite voix frêle de Simon.

« Dis donc, Philippe, le gars à la Michaude m'a conté tout à l'heure que tu n'étais pas mon papa tout à fait.

– Pourquoi ça ? » demanda l'ouvrier.

L'enfant répondit avec toute sa naïveté :

« Parce que tu n'es pas le mari de maman. »

Personne ne rit. Philippe resta debout, appuyant son front sur le dos de ses grosses mains que supportait le manche de son marteau dressé sur l'enclume. Il rêvait. Ses quatre compagnons le regardaient et, tout petit entre ces géants, Simon, anxieux, attendait. Tout à coup, un des forgerons, répondant à la pensée de tous, dit à Philippe :

« C'est tout de même une bonne et brave fille que la Blanchotte, et vaillante et rangée[2] malgré son malheur,

1. **Le petit à la Blanchotte :** trait de langue populaire (incorrect aujourd'hui).
2. **Rangée :** sérieuse, qui se conduit bien.

et qui serait une digne femme pour un honnête homme.

– Ça, c'est vrai », dirent les trois autres.

L'ouvrier continua :

« Est-ce sa faute, à cette fille, si elle a failli ? On lui avait promis mariage, et j'en connais plus d'une qu'on respecte bien aujourd'hui et qui en a fait tout autant.

– Ça, c'est vrai. », répondirent en chœur les trois hommes.

Il reprit : « Ce qu'elle a peiné, la pauvre, pour élever son gars toute seule, et ce qu'elle a pleuré depuis qu'elle ne sort plus que pour aller à l'église, il n'y a que le bon Dieu qui le sait.

– C'est encore vrai », dirent les autres.

Alors on n'entendit plus que le soufflet qui activait le feu du foyer. Philippe, brusquement, se pencha vers Simon :

« Va dire à ta maman que j'irai lui parler ce soir. »

Puis il poussa l'enfant dehors par les épaules.

Il revint à son travail et, d'un seul coup, les cinq marteaux retombèrent ensemble sur les enclumes. Ils battirent ainsi le fer jusqu'à la nuit, forts, puissants, joyeux comme des marteaux satisfaits. Mais, de même que le bourdon d'une cathédrale résonne dans les jours de fête au-dessus du tintement des autres cloches, ainsi le marteau de Philippe, dominant le fracas des autres, s'abattait de seconde en seconde avec un vacarme assourdissant. Et lui, l'œil allumé, forgeait passionnément, debout dans les étincelles.

Le ciel était plein d'étoiles quand il vint frapper à la porte de la Blanchotte. Il avait sa blouse des dimanches, une chemise fraîche et la barbe faite. La jeune femme se montra sur le seuil et lui dit d'un air peiné : « C'est mal de venir ainsi la nuit tombée, monsieur Philippe. »

Il voulut répondre, balbutia et resta confus devant elle.

Elle reprit : « Vous comprenez bien pourtant qu'il ne faut plus que l'on parle de moi. »

Alors, lui, tout à coup :

« Qu'est-ce que ça fait, dit-il, si vous voulez être ma femme ! »

Aucune voix ne lui répondit, mais il crut entendre dans l'ombre de la chambre le bruit d'un corps qui s'affaissait. Il entra bien vite ; et Simon, qui était couché dans son lit, distingua le son d'un baiser et quelques mots que sa mère murmurait bien bas. Puis, tout à coup, il se sentit enlevé dans les mains de son ami, et celui-ci, le tenant au bout de ses bras d'hercule, lui cria :

« Tu leur diras, à tes camarades, que ton papa c'est Philippe Remy, le forgeron, et qu'il ira tirer les oreilles à tous ceux qui te feront du mal. »

Le lendemain, comme l'école était pleine et que la classe allait commencer, le petit Simon se leva, tout pâle et les lèvres tremblantes : « Mon papa, dit-il, d'une voix claire, c'est Philippe Remy, le forgeron, et il a promis qu'il tirerait les oreilles à tous ceux qui me feraient du mal. »

Cette fois, personne ne rit plus, car on le connaissait bien ce Philippe Remy, le forgeron, et c'était un papa, celui-là, dont tout le monde eût été fier.

(1er décembre 1879)

STRUCTURE : les étapes de l'histoire

Tout récit se construit selon une chronologie et un rythme propres, en coïncidence ou en décalage avec ceux de l'histoire qu'il raconte.

1. Relevez les points de repère temporels sur l'ensemble du récit. Combien de temps l'histoire dure-t-elle ?

2. À partir de ces repères temporels, délimitez les cinq parties de l'histoire et donnez-leur un titre.

3. La chute* : en quoi y a-t-il un renversement complet de la situation initiale* ?

4. Relevez les rétrospectives* faites par le narrateur. Donnez la raison d'être de chacune pour la vraisemblance de l'histoire.

SOCIÉTÉ : l'absence de père

Au XIXe siècle, la famille doit, pour être reconnue et respectée, correspondre au modèle défini par le Code civil (voir p. 190).

5. Comment la mère de Simon est-elle considérée dans le pays ? Pourquoi ?

6. Combien de fois les mots « Pas de papa » sont-ils répétés dans le texte ? Que traduisent ces reprises ? Qu'évoque la syllabe répétée ?

7. Justifiez l'expression « C'était un papa, celui-là, dont tout le monde eût été fier », en utilisant les informations données sur Philippe Remy.

8. Par quels gestes du forgeron à l'égard de Simon l'adoption est-elle symbolisée* ? Lequel de ces gestes retrouve-t-on dans la photographie p. 27 ?

9. Justifiez très précisément le titre de la nouvelle.

THÈMES : le rejet

Les groupes humains ne sont pas toujours tendres avec ceux de leurs membres qui ne sont pas conformes à la loi du groupe. Les enfants ne font pas exception à la règle.

10. Faites le portrait de Simon et dites en quoi celui-ci constitue une victime toute désignée.

11. Relevez les mots et expressions désignant les autres enfants. Quel comportement ont-ils ? Quelles raisons le narrateur* en donne-t-il ?

DIRE

12. Vous avez été vous-même victime ou témoin d'un phénomène de rejet par un groupe. Racontez. Vous donnerez vos réactions et sentiments au fil de votre récit.

ÉCRIRE

13. Constituez un dossier sur le phénomène du « bouc émissaire » (origines, aspects psychologiques et sociologiques, exemples historiques et politiques).

Histoire d'une fille de ferme

I

Comme le temps était fort beau, les gens de la ferme avaient dîné plus vite que de coutume et s'en étaient allés dans les champs.

Rose, la servante, demeura toute seule au milieu de la vaste cuisine où un reste de feu s'éteignait dans l'âtre[1] sous la marmite pleine d'eau chaude. Elle puisait à cette eau par moments et lavait lentement sa vaisselle, s'interrompant pour regarder deux carrés lumineux que le soleil, à travers la fenêtre, plaquait sur la longue table, et dans lesquels apparaissaient les défauts des vitres.

Trois poules très hardies cherchaient des miettes sous les chaises. Des odeurs de basse-cour, des tiédeurs fermentées d'étable entraient par la porte entrouverte ; et dans le silence du midi brûlant on entendait chanter les coqs.

Quand la fille eut fini sa besogne, essuyé la table, nettoyé la cheminée et rangé les assiettes sur le haut dressoir[2] au fond près de l'horloge en bois au tic-tac sonore, elle respira, un peu étourdie, oppressée sans savoir pourquoi. Elle regarda les murs d'argile noircis, les poutres enfumées du plafond où pendaient des toiles d'araignée, des harengs saurs[3] et des rangées d'oignons ; puis elle s'assit, gênée par les émanations[4] anciennes que la chaleur de ce jour faisait sortir de la terre battue du sol où avaient séché tant de choses

1. **L'âtre :** la cheminée.
2. **Dressoir :** étagère où l'on range la vaisselle ; vaisselier.
3. **Harengs saurs :** harengs fumés.
4. **Émanations :** bouffées d'odeurs.

répandues depuis si longtemps. Il s'y mêlait aussi la saveur âcre du laitage qui crémait[1] au frais dans la pièce à côté. Elle voulut cependant se mettre à coudre comme elle en avait l'habitude, mais la force lui manqua et elle alla respirer sur le seuil.

Alors, caressée par l'ardente lumière, elle sentit une douceur qui lui pénétrait au cœur, un bien-être coulant dans ses membres.

Devant la porte, le fumier dégageait sans cesse une petite vapeur miroitante. Les poules se vautraient dessus, couchées sur le flanc, et grattaient un peu d'une seule patte pour trouver des vers. Au milieu d'elles, le coq, superbe, se dressait. À chaque instant il en choisissait une et tournait autour avec un petit gloussement d'appel. La poule se levait nonchalamment et le recevait d'un air tranquille, pliant les pattes et le supportant sur ses ailes ; puis elle secouait ses plumes d'où sortait de la poussière et s'étendait de nouveau sur le fumier, tandis que lui chantait, comptant ses triomphes ; et dans toutes les cours tous les coqs lui répondaient, comme si, d'une ferme à l'autre, ils se fussent envoyés des défis amoureux.

La servante les regardait sans penser ; puis elle leva les yeux et fut éblouie par l'éclat des pommiers en fleur, tout blancs comme des têtes poudrées.

Soudain un jeune poulain, affolé de gaieté, passa devant elle en galopant. Il fit deux fois le tour des fossés plantés d'arbres, puis s'arrêta brusquement et tourna la tête comme étonné d'être seul.

Elle aussi se sentait une envie de courir, un besoin de mouvement et, en même temps, un désir de s'étendre, d'allonger ses membres, de se reposer dans l'air

1. **Crémait :** se couvrait de crème.

immobile et chaud. Elle fit quelques pas, indécise, fermant les yeux, saisie par un bien-être bestial ; puis, tout doucement, elle alla chercher les œufs au poulailler. Il y en avait treize, qu'elle prit et rapporta. Quand ils furent serrés[1] dans le buffet, les odeurs de la cuisine l'incommodèrent de nouveau et elle sortit pour s'asseoir un peu sur l'herbe.

La cour de ferme, enfermée par les arbres, semblait dormir. L'herbe haute, où des pissenlits jaunes éclataient comme des lumières, était d'un vert puissant, d'un vert tout neuf de printemps. L'ombre des pommiers se ramassait en rond à leurs pieds ; et les toits de chaume des bâtiments, au sommet desquels poussaient des iris aux feuilles pareilles à des sabres, fumaient un peu comme si l'humidité des écuries et des granges se fût envolée à travers la paille.

La servante arriva sous le hangar où l'on rangeait les chariots et les voitures. Il y avait là, dans le creux du fossé, un grand trou vert plein de violettes dont l'odeur se répandait, et, par-dessus le talus, on apercevait la campagne, une vaste plaine où poussaient les récoltes, avec des bouquets d'arbres par endroits, et, de place en place, des groupes de travailleurs lointains, tout petits comme des poupées, des chevaux blancs pareils à des jouets, traînant une charrue d'enfant poussée par un bonhomme haut comme le doigt.

Elle alla prendre une botte de paille dans un grenier et la jeta dans ce trou pour s'asseoir dessus ; puis, n'étant pas à son aise, elle défit le lien, éparpilla son siège et s'étendit sur le dos, les deux bras sous sa tête et les jambes allongées.

1. **Serrés :** rangés.

Tout doucement elle fermait les yeux, assoupie dans une mollesse délicieuse. Elle allait même s'endormir tout à fait, quand elle sentit deux mains qui lui prenaient la poitrine, et elle se redressa d'un bond. C'était Jacques, le garçon de ferme, un grand Picard bien découplé[1], qui la courtisait depuis quelque temps. Il travaillait ce jour-là dans la bergerie, et, l'ayant vue s'étendre à l'ombre, il était venu à pas de loup, retenant son haleine, les yeux brillants, avec des brins de paille dans les cheveux.

Il essaya de l'embrasser, mais elle le gifla, forte comme lui ; et, sournois, il demanda grâce. Alors ils s'assirent l'un près de l'autre et ils causèrent amicalement. Ils parlèrent du temps qui était favorable aux moissons, de l'année qui s'annonçait bien, de leur maître, un brave homme, puis des voisins, du pays tout entier, d'eux-mêmes, de leur village, de leur jeunesse, de leurs souvenirs, des parents qu'ils avaient quittés pour longtemps, pour toujours peut-être. Elle s'attendrit en pensant à cela, et lui, avec son idée fixe, se rapprochait, se frottait contre elle, frémissant, tout envahi par le désir. Elle disait :

« Y a bien longtemps que je n'ai vu maman ; c'est dur tout de même d'être séparées tant que ça. »

Et son œil perdu regardait au loin, à travers l'espace, jusqu'au village abandonné là-bas, là-bas, vers le nord.

Lui, tout à coup, la saisit par le cou et l'embrassa de nouveau ; mais, de son poing fermé, elle le frappa en pleine figure si violemment qu'il se mit à saigner du nez ; et il se leva pour aller appuyer sa tête contre un tronc d'arbre. Alors elle fut attendrie et, se rapprochant de lui, elle demanda :

1. **Bien découplé :** bien bâti, robuste.

« Ça te fait mal ? »

Mais il se mit à rire. Non, ce n'était rien ; seulement elle avait tapé juste sur le milieu. Il murmurait : « Cré coquin[1] ! » et il la regardait avec admiration, pris d'un respect, d'une affection tout autre, d'un commencement d'amour vrai pour cette grande gaillarde si solide.

Quand le sang eut cessé de couler, il lui proposa de faire un tour, craignant, s'ils restaient ainsi côte à côte, la rude poigne de sa voisine. Mais d'elle-même elle lui prit le bras, comme font les promis[2] le soir, dans l'avenue, et elle lui dit :

« Ça n'est pas bien, Jacques, de me mépriser comme ça. »

Il protesta. Non, il ne la méprisait pas, mais il était amoureux, voilà tout.

« Alors, tu me veux bien en mariage ? » dit-elle.

Il hésita, puis il se mit à la regarder de côté pendant qu'elle tenait ses yeux perdus au loin devant elle. Elle avait les joues rouges et pleines, une large poitrine saillante sous l'indienne de son caraco, de grosses lèvres fraîches, et sa gorge, presque nue, était semée de petites gouttes de sueur. Il se sentit repris d'envie, et, la bouche dans son oreille, il murmura :

« Oui, je veux bien. »

Alors elle lui jeta ses bras au cou et elle l'embrassa si longtemps qu'ils en perdaient haleine tous les deux.

De ce moment commença entre eux l'éternelle histoire de l'amour. Ils se lutinaient[3] dans les coins ; ils se donnaient des rendez-vous au clair de la lune, à l'abri d'une meule de foin, et ils se faisaient des bleus aux jambes, sous la table, avec leurs gros souliers ferrés.

---

1. **Cré coquin ! :** sacrée coquine !
2. **Les promis :** les fiancés.
3. **Se lutinaient :** se caressaient amoureusement, comme en jouant.

Puis, peu à peu, Jacques parut s'ennuyer d'elle ; il l'évitait, ne lui parlait plus guère, ne cherchait plus à la rencontrer seule. Alors elle fut envahie par des doutes et une grande tristesse ; et, au bout de quelque temps, elle s'aperçut qu'elle était enceinte.

Elle fut consternée d'abord, puis une colère lui vint, plus forte chaque jour, parce qu'elle ne parvenait point à le trouver, tant il l'évitait avec soin.

Enfin, une nuit, comme tout le monde dormait dans la ferme, elle sortit sans bruit, en jupon, pieds nus, traversa la cour et poussa la porte de l'écurie où Jacques était couché dans une grande boîte pleine de paille au-dessus de ses chevaux. Il fit semblant de ronfler en l'entendant venir ; mais elle se hissa près de lui, et, à genoux à son côté, le secoua jusqu'à ce qu'il se dressât.

Quand il se fut assis, demandant : « Qu'est-ce que tu veux ? » elle prononça, les dents serrées, tremblant de fureur : « Je veux, je veux que tu m'épouses, puisque tu m'as promis le mariage. » Il se mit à rire et répondit : « Ah bien ! si on épousait toutes les filles avec qui on a fauté[1], ça ne serait pas à faire. »

Mais elle le saisit à la gorge, le renversa sans qu'il pût se débarrasser de son étreinte farouche, et, l'étranglant, elle lui cria tout près, dans la figure : « Je suis grosse[2], entends-tu, je suis grosse. »

Il haletait, suffoquant ; et ils restaient là tous deux, immobiles, muets dans le silence noir troublé seulement par le bruit de mâchoire d'un cheval qui tirait sur la paille du râtelier[3], puis la broyait avec lenteur.

1. **Fauté :** couché.
2. **Grosse :** enceinte.
3. **Râtelier :** mangeoire.

Quand Jacques comprit qu'elle était la plus forte, il balbutia :

« Eh bien, je t'épouserai, puisque c'est ça. »

Mais elle ne croyait plus à ses promesses.

« Tout de suite, dit-elle ; tu feras publier les bans[1]. »

Il répondit :

« Tout de suite.

– Jure-le sur le bon Dieu. »

Il hésita pendant quelques secondes, puis, prenant son parti :

« Je le jure sur le bon Dieu. »

Alors elle ouvrit les doigts et, sans ajouter une parole, s'en alla.

Elle fut quelques jours sans pouvoir lui parler, et, l'écurie se trouvant désormais fermée à clef toutes les nuits, elle n'osait pas faire de bruit de crainte du scandale.

Puis, un matin, elle vit entrer à la soupe un autre valet. Elle demanda :

« Jacques est parti ?

– Mais oui, dit l'autre, je suis à sa place. »

Elle se mit à trembler si fort, qu'elle ne pouvait décrocher sa marmite ; puis, quand tout le monde fut au travail, elle monta dans sa chambre et pleura, la face dans son traversin, pour n'être pas entendue.

Dans la journée, elle essaya de s'informer sans éveiller les soupçons ; mais elle était tellement obsédée par la pensée de son malheur qu'elle croyait voir rire malicieusement tous les gens qu'elle interrogeait. Du reste, elle ne put rien apprendre, sinon qu'il avait quitté le pays tout à fait.

1. **Publier les bans :** annoncer un futur mariage à l'église.

II

Alors commença pour elle une vie de torture continuelle. Elle travaillait comme une machine, sans s'occuper de ce qu'elle faisait, avec cette idée fixe en tête : « Si on le savait ! »

Cette obsession constante la rendait tellement incapable de raisonner qu'elle ne cherchait même pas les moyens d'éviter ce scandale, qu'elle sentait venir, se reprochant chaque jour, irréparable, et sûr comme la mort.

Elle se levait tous les matins bien avant les autres et, avec une persistance acharnée, essayait de regarder sa taille dans un petit morceau d'une glace cassée qui lui servait à se peigner, très anxieuse de savoir si ce n'était pas aujourd'hui qu'on s'en apercevrait.

Et, pendant le jour, elle interrompait à tout instant son travail, pour considérer du haut en bas si l'ampleur de son ventre ne soulevait pas trop son tablier.

Les mois passaient. Elle ne parlait presque plus et, quand on lui demandait quelque chose, ne comprenait pas, effarée, l'œil hébété[1], les mains tremblantes ; ce qui faisait dire à son maître :

« Ma pauvre fille, que t'es sotte depuis quelque temps ! »

À l'église, elle se cachait derrière un pilier, et n'osait plus aller à confesse[2], redoutant beaucoup la rencontre du curé, à qui elle prêtait un pouvoir surhumain lui permettant de lire dans les consciences.

À table, les regards de ses camarades la faisaient maintenant défaillir[3] d'angoisse, et elle s'imaginait toujours

1. **Hébété :** ahuri, stupide.
2. **Aller à confesse :** déclarer ses péchés à un prêtre, en confession.
3. **Défaillir :** être au bord de l'évanouissement.

être découverte par le vacher[1], un petit gars précoce[2] et sournois dont l'œil luisant ne la quittait pas.

Un matin, le facteur lui remit une lettre. Elle n'en avait jamais reçu et resta tellement bouleversée qu'elle fut obligée de s'asseoir. C'était de lui, peut-être ? Mais, comme elle ne savait pas lire, elle restait anxieuse, tremblante, devant ce papier couvert d'encre. Elle le mit dans sa poche, n'osant confier son secret à personne ; et souvent elle s'arrêtait de travailler pour regarder longtemps ces lignes également espacées qu'une signature terminait, s'imaginant vaguement qu'elle allait tout à coup en découvrir le sens. Enfin, comme elle devenait folle d'impatience et d'inquiétude, elle alla trouver le maître d'école qui la fit asseoir et lut :

« Ma chère fille, la présente[3] est pour te dire que je suis bien bas[4] ; notre voisin, maître Dentu, a pris la plume pour te mander[5] de venir si tu peux.

» Pour ta mère affectionnée.

» CÉSAIRE DENTU, adjoint. »

Elle ne dit pas un mot et s'en alla ; mais, sitôt qu'elle fut seule, elle s'affaissa au bord du chemin, les jambes rompues ; et elle resta là jusqu'à la nuit.

En rentrant, elle raconta son malheur au fermier, qui la laissa partir pour autant de temps qu'elle voudrait, promettant de faire faire sa besogne par une fille de journée[6] et de la reprendre à son retour.

Sa mère était à l'agonie ; elle mourut le jour même de son arrivée ; et, le lendemain, Rose accouchait d'un

1. **Vacher :** domestique qui garde les vaches.
2. **Précoce :** ici, chez qui l'instinct sexuel s'est éveillé très tôt.
3. **La présente :** cette lettre.
4. **Je suis bien bas :** je vais très mal.
5. **Mander :** demander.
6. **Fille de journée :** servante payée à la journée.

enfant de sept mois[1], un petit squelette affreux, maigre à donner des frissons, et qui semblait souffrir sans cesse, tant il crispait douloureusement ses pauvres mains décharnées comme des pattes de crabe.

Il vécut cependant.

Elle raconta qu'elle était mariée, mais qu'elle ne pouvait se charger du petit et elle le laissa chez des voisins qui promirent d'en avoir bien soin.

Elle revint.

Mais alors, en son cœur si longtemps meurtri, se leva, comme une aurore, un amour inconnu pour ce petit être chétif[2]qu'elle avait laissé là-bas ; et cet amour même était une souffrance nouvelle, une souffrance de toutes les heures, de toutes les minutes, puisqu'elle était séparée de lui.

Ce qui la martyrisait surtout, c'était un besoin fou de l'embrasser, de l'étreindre en ses bras, de sentir contre sa chair la chaleur de son petit corps. Elle ne dormait plus la nuit ; elle y pensait tout le jour ; et, le soir, son travail fini, elle s'asseyait devant le feu, qu'elle regardait fixement comme les gens qui pensent au loin.

On commençait même à jaser[3] à son sujet, et on la plaisantait sur l'amoureux qu'elle devait avoir, lui demandant s'il était beau, s'il était grand, s'il était riche, à quand la noce, à quand le baptême ? Et elle se sauvait souvent pour pleurer toute seule, car ces questions lui entraient dans la peau comme des épingles.

Pour se distraire de ces tracasseries, elle se mit à l'ouvrage avec fureur, et, songeant toujours à son enfant, elle chercha les moyens d'amasser pour lui beaucoup d'argent.

---

1. **De sept mois :** né deux mois avant terme.
2. **Chétif :** faible, malingre.
3. **Jaser :** faire des commentaires malveillants, des commérages.

Elle résolut de travailler si fort qu'on serait obligé d'augmenter ses gages[1].

Alors, peu à peu, elle accapara la besogne autour d'elle, fit renvoyer une servante qui devenait inutile depuis qu'elle peinait autant que deux, économisa sur le pain, sur l'huile et sur la chandelle, sur le grain qu'on jetait trop largement aux poules, sur le fourrage des bestiaux qu'on gaspillait un peu. Elle se montra avare de l'argent du maître comme si c'eût été le sien, et, à force de faire des marchés avantageux, de vendre cher ce qui sortait de la maison et de déjouer les ruses des paysans qui offraient leurs produits, elle eut seule le soin des achats et des ventes, la direction du travail des gens de peine[2], le compte des provisions ; et, en peu de temps, elle devint indispensable. Elle exerçait une telle surveillance autour d'elle, que la ferme, sous sa direction, prospéra prodigieusement. On parlait à deux lieues à la ronde de la « servante à maître Vallin » ; et le fermier répétait partout : « Cette fille-là, ça vaut mieux que de l'or. »

Cependant, le temps passait et ses gages restaient les mêmes. On acceptait son travail forcé comme une chose due par toute servante dévouée, une simple marque de bonne volonté ; et elle commença à songer avec un peu d'amertume que si le fermier encaissait, grâce à elle, cinquante ou cent écus de supplément tous les mois, elle continuait à gagner ses 240 francs par an, rien de plus, rien de moins.

Elle résolut de réclamer une augmentation. Trois fois elle alla trouver le maître et, arrivée devant lui, parla d'autre chose. Elle ressentait une sorte de pudeur à solliciter de l'argent, comme si c'eût été une action

1. **Gages :** salaire d'un domestique.
2. **Les gens de peine :** ceux qui font les gros travaux.

un peu honteuse. Enfin, un jour que le fermier déjeunait seul dans la cuisine, elle lui dit d'un air embarrassé qu'elle désirait lui parler particulièrement[1]. Il leva la tête, surpris, les deux mains sur la table, tenant de l'une son couteau, la pointe en l'air, et de l'autre une bouchée de pain, et il regarda fixement sa servante. Elle se troubla sous son regard et demanda huit jours pour aller au pays parce qu'elle était un peu malade.

Il les lui accorda tout de suite ; puis, embarrassé lui-même, il ajouta :

« Moi aussi j'aurai à te parler quand tu seras revenue. »

III

L'enfant allait avoir huit mois : elle ne le reconnut point. Il était devenu tout rose, joufflu, potelé partout, pareil à un petit paquet de graisse vivante. Ses doigts, écartés par des bourrelets de chair, remuaient doucement dans une satisfaction visible. Elle se jeta dessus comme sur une proie, avec un emportement de bête, et elle l'embrassa si violemment qu'il se prit à hurler de peur. Alors elle se mit elle-même à pleurer parce qu'il ne la reconnaissait pas et qu'il tendait ses bras vers sa nourrice aussitôt qu'il l'apercevait.

Dès le lendemain cependant il s'accoutuma à sa figure, et il riait en la voyant. Elle l'emportait dans la campagne, courait affolée en le tenant au bout de ses mains, s'asseyait sous l'ombre des arbres ; puis, pour la première fois de sa vie, et bien qu'il ne l'entendît[2] point, elle ouvrait son cœur à quelqu'un, lui racontait ses chagrins, ses travaux, ses soucis, ses espérances, et

1. **Particulièrement :** en tête à tête.
2. **Entendît :** comprît.

elle le fatiguait sans cesse par la violence et l'acharnement de ses caresses.

Elle prenait une joie infinie à le pétrir dans ses mains, à le laver, à l'habiller ; et elle était même heureuse de nettoyer ses saletés d'enfant, comme si ces soins intimes eussent été une confirmation de sa maternité. Elle le considérait, s'étonnant toujours qu'il fût à elle, et elle se répétait à demi-voix, en le faisant danser dans ses bras : « C'est mon petiot, c'est mon petiot. »

Elle sanglota toute la route en retournant à la ferme, et elle était à peine revenue que son maître l'appela dans sa chambre. Elle s'y rendit, très étonnée et fort émue sans savoir pourquoi.

« Assieds-toi là », dit-il.

Elle s'assit et ils restèrent pendant quelques instants à côté l'un de l'autre, embarrassés tous les deux, les bras inertes et encombrants, et sans se regarder en face, à la façon des paysans.

Le fermier, gros homme de quarante-cinq ans, deux fois veuf, jovial[1] et têtu, éprouvait une gêne évidente qui ne lui était pas ordinaire. Enfin il se décida et se mit à parler d'un air vague, bredouillant un peu et regardant au loin dans la campagne.

« Rose, dit-il, est-ce que tu n'as jamais songé à t'établir[2] ? »

Elle devint pâle comme une morte. Voyant qu'elle ne lui répondait pas, il continua :

« Tu es une brave fille, rangée[3], active et économe. Une femme comme toi, ça ferait la fortune d'un homme. »

1. **Jovial :** plein de gaieté, bon vivant.
2. **T'établir :** te marier.
3. **Rangée :** sérieuse, ordonnée.

Elle restait toujours immobile, l'œil effaré, ne cherchant même pas à comprendre, tant ses idées tourbillonnaient comme à l'approche d'un grand danger. Il attendit une seconde, puis continua :

« Vois-tu, une ferme sans maîtresse, ça ne peut pas aller, même avec une servante comme toi. »

Alors il se tut, ne sachant plus que dire ; et Rose le regardait de l'air épouvanté d'une personne qui se croit en face d'un assassin et s'apprête à s'enfuir au moindre geste qu'il fera.

Enfin, au bout de cinq minutes, il demanda :

« Hé bien ! ça te va-t-il ? »

Elle répondit avec une physionomie idiote :

« Quoi, not' maître ? »

Alors lui, brusquement :

« Mais de m'épouser, pardine[1] ! »

Elle se dressa tout à coup, puis retomba comme cassée sur sa chaise, où elle demeura sans mouvement, pareille à quelqu'un qui aurait reçu le coup d'un grand malheur. Le fermier à la fin s'impatienta :

« Allons, voyons : qu'est-ce qu'il te faut alors ? »

Elle le contemplait affolée ; puis soudain, les larmes lui vinrent aux yeux, et elle répéta deux fois en suffoquant :

« Je ne peux pas, je ne peux pas !

– Pourquoi ça ? demanda l'homme. Allons, ne fais pas la bête ; je te donne jusqu'à demain pour réfléchir. »

Et il se dépêcha de s'en aller, très soulagé d'en avoir fini avec cette démarche qui l'embarrassait beaucoup, et ne doutant pas que, le lendemain, sa servante accepterait une proposition qui était pour elle tout à fait

1. **Pardine :** pardi.

inespérée et, pour lui, une excellente affaire, puisqu'il s'attachait ainsi à jamais une femme qui lui rapporterait certes davantage que la plus belle dot du pays.

Il ne pouvait d'ailleurs exister entre eux de scrupules de mésalliance[1], car, dans la campagne, tous sont à peu près égaux : le fermier laboure comme son valet, qui, le plus souvent, devient maître à son tour un jour ou l'autre, et les servantes à tout moment passent maîtresses sans que cela apporte aucun changement dans leur vie ou leurs habitudes.

Rose ne se coucha pas cette nuit-là. Elle tomba assise sur son lit, n'ayant plus même la force de pleurer, tant elle était anéantie. Elle restait inerte, ne sentant plus son corps, et l'esprit dispersé, comme si quelqu'un l'eût déchiqueté avec un de ces instruments dont se servent les cardeurs[2] pour effiloquer[3] la laine des matelas.

Par instants seulement elle parvenait à rassembler comme des bribes de réflexions, et elle s'épouvantait à la pensée de ce qui pouvait advenir.

Ses terreurs grandirent, et chaque fois que dans le silence assoupi de la maison la grosse horloge de la cuisine battait lentement les heures, il lui venait des sueurs d'angoisse. Sa tête se perdait, les cauchemars se succédaient, sa chandelle s'éteignit ; alors commença le délire, ce délire fuyant des gens de la campagne qui se croient frappés par un sort, un besoin fou de partir, de s'échapper, de courir devant le malheur comme un vaisseau devant la tempête.

Une chouette glapit ; elle tressaillit, se dressa, passa ses mains sur sa face, dans ses cheveux, se tâta le corps

1. **Mésalliance :** mariage avec une personne d'un rang social inférieur.
2. **Cardeurs :** ceux qui démêlent les fibres textiles (carder la laine).
3. **Effiloquer :** effilocher, mettre en lanières. Voir p. 239.

comme une folle ; puis, avec des allures de somnambule, elle descendit. Quand elle fut dans la cour, elle rampa pour n'être point vue par quelque goujat[1] rôdeur, car la lune, près de disparaître, jetait une lueur claire dans les champs. Au lieu d'ouvrir la barrière, elle escalada le talus ; puis, quand elle fut en face de la campagne, elle partit. Elle filait droit devant elle, d'un trot élastique et précipité, et, de temps en temps, inconsciemment, elle jetait un cri perçant. Son ombre démesurée, couchée sur le sol à son côté, filait avec elle, et parfois un oiseau de nuit venait tournoyer sur sa tête. Les chiens dans les cours de ferme aboyaient en l'entendant passer ; l'un d'eux sauta le fossé et la poursuivit pour la mordre ; mais elle se retourna sur lui en hurlant de telle façon que l'animal épouvanté s'enfuit, se blottit dans sa loge[2] et se tut.

Parfois une jeune famille de lièvres folâtrait dans un champ ; mais, quand approchait l'enragée coureuse, pareille à une Diane[3] en délire, les bêtes craintives se débandaient[4] ; les petits et la mère disparaissaient blottis dans un sillon, tandis que le père déboulait[5] à toutes pattes et, parfois, faisait passer son ombre bondissante, avec ses grandes oreilles dressées, sur la lune à son coucher, qui plongeait maintenant au bout du monde et éclairait la plaine de sa lumière oblique, comme une énorme lanterne posée par terre à l'horizon.

Les étoiles s'effacèrent dans les profondeurs du ciel ; quelques oiseaux pépiaient ; le jour naissait. La fille,

1. **Goujat :** jeune valet de ferme.
2. **Loge :** ici, niche.
3. **Diane :** déesse de la chasse et de la lune dans la mythologie.
4. **Se débandaient :** se dispersaient en désordre.
5. **Déboulait :** descendait comme en roulant.

exténuée, haletait ; et quand le soleil perça l'aurore empourprée[1], elle s'arrêta.

Ses pieds enflés se refusaient à marcher ; mais elle aperçut une mare, une grande mare dont l'eau stagnante[2] semblait du sang, sous les reflets rouges du jour nouveau, et elle alla, à petits pas, boitant, la main sur son cœur, tremper ses deux jambes dedans.

Elle s'assit sur une touffe d'herbe, ôta ses gros souliers pleins de poussière, défit ses bas, et enfonça ses mollets bleuis dans l'onde immobile où venaient parfois crever des bulles d'air.

Une fraîcheur délicieuse lui monta des talons jusqu'à la gorge ; et, tout à coup, pendant qu'elle regardait fixement cette mare profonde, un vertige la saisit, un désir furieux d'y plonger tout entière. Ce serait fini de souffrir là-dedans, fini pour toujours. Elle ne pensait plus à son enfant ; elle voulait la paix, le repos complet, dormir sans fin. Alors elle se dressa, les bras levés, et fit deux pas en avant. Elle enfonçait maintenant jusqu'aux cuisses, et déjà elle se précipitait, quand des piqûres ardentes aux chevilles la firent sauter en arrière, et elle poussa un cri désespéré, car depuis ses genoux jusqu'au bout de ses pieds de longues sangsues[3] noires buvaient sa vie, se gonflaient, collées à sa chair. Elle n'osait point y toucher et hurlait d'horreur. Ses clameurs désespérées attirèrent un paysan qui passait au loin avec sa voiture. Il arracha les sangsues une à une, comprima les plaies avec des herbes et ramena la fille dans sa carriole jusqu'à la ferme de son maître.

---

1. **Empourprée :** colorée de rouge (par le soleil).
2. **Stagnante :** qui ne s'écoule pas.
3. **Sangsues :** vers qui sucent le sang.

SITUER

Rose, qui a toujours caché l'existence de son enfant, vient d'être demandée en mariage par son maître.

RÉFLÉCHIR

REGISTRES ET TONALITÉS : à la limite du fantastique

1. Où se trouve Rose au début du passage ? Par quels lieux passe-t-elle successivement jusqu'à son retour à la ferme ?

2. Quels éléments (sons, éclairage, couleurs, etc.) donnent une atmosphère peu rassurante ?

3. Comment Rose passe-t-elle de l'« anéantissement » au « délire » ?

4. À quels êtres fantastiques vous font penser les sangsues ?

PERSONNAGES : Rose dans son délire

5. Relevez les exemples de comportements irrationnels de Rose dans le quatrième paragraphe.

6. Quelles expressions montrent qu'elle se comporte plus comme un animal que comme un être humain ? Quel rôle les animaux jouent-ils dans son itinéraire ?

7. Quel détail visible symbolise le dédoublement mental ?

8. Relevez et expliquez les comparaisons*.

9. Quelle explication le narrateur donne-t-il à ce délire ?

THÈMES : la tentation d'en finir

10. Relevez ce qui fait de l'eau : a) un élément attirant ; b) un élément inquiétant. En quoi fonctionne-t-elle comme un piège ?

11. Par quelles tournures la mort est-elle évoquée sans être nommée ?

12. Relevez la seule phrase qui donne le contenu des pensées de Rose. Quel type de discours rapporté* est utilisé ? Pourquoi ?

13. Quel rôle paradoxal les sangsues jouent-elles ?

ÉCRIRE

14. À la suite de circonstances que vous préciserez, vous êtes plongé(e) dans l'obscurité. Votre imagination s'emballe…

15. Vous rédigerez une partie d'un commentaire organisé de ce passage en utilisant les questions 5 à 9.

Elle fut pendant quinze jours au lit, puis, le matin où elle se releva, comme elle était assise devant la porte, le fermier vint soudain se planter devant elle.

« Eh bien, dit-il, c'est une affaire entendue, n'est-ce pas ? »

Elle ne répondit point d'abord, puis, comme il restait debout, la perçant de son regard obstiné, elle articula péniblement :

« Non, not' maître, je ne peux pas. »

Mais il s'emporta tout à coup.

« Tu ne peux pas, la fille, tu ne peux pas, pourquoi ça ? »

Elle se remit à pleurer et répéta :

« Je ne peux pas. »

Il la dévisageait, et lui cria dans la face :

« C'est donc que tu as un amoureux ? »

Elle balbutia, tremblant de honte :

« Peut-être bien que c'est ça. »

L'homme, rouge comme un coquelicot, bredouillait de colère :

« Ah ! tu l'avoues donc, gueuse ! Et qu'est-ce que c'est, ce merle-là ? Un va-nu-pieds, un sans-le-sou, un couche-dehors, un crève-la-faim ? Qu'est-ce que c'est, dis ? »

Et, comme elle ne répondait rien :

« Ah ! tu ne veux pas… Je vais te le dire, moi : c'est Jean Baudu ? »

Elle s'écria :

« Oh ! non, pas lui.

– Alors c'est Pierre Martin ?

– Oh non ! not' maître. »

Et il nommait éperdument tous les garçons du pays, pendant qu'elle niait, accablée, et s'essuyant les yeux à tout moment du coin de son tablier bleu. Mais lui cherchait toujours avec son obstination de brute, grattant à ce cœur pour connaître son secret, comme un chien de chasse qui fouille un terrier tout un jour pour avoir la bête qu'il sent au fond. Tout à coup l'homme s'écria :

« Eh ! pardine, c'est Jacques, le valet de l'autre année ; on disait bien qu'il te parlait et que vous vous étiez promis mariage. »

Rose suffoqua ; un flot de sang empourpra sa face ; ses larmes tarirent[1] tout à coup ; elles se séchèrent sur ses joues comme des gouttes d'eau sur du fer rouge. Elle s'écria :

« Non, ce n'est pas lui, ce n'est pas lui !

– Est-ce bien sûr, ça ? » demanda le paysan malin qui flairait un bout de vérité.

Elle répondit précipitamment :

« Je vous le jure, je vous le jure… »

Elle cherchait sur quoi jurer, n'osant point invoquer les choses sacrées. Il l'interrompit :

« Il te suivait pourtant dans les coins et il te mangeait des yeux pendant tous les repas. Lui as-tu promis ta foi[2], hein, dis ? »

Cette fois, elle regarda son maître en face.

« Non, jamais, jamais, et je vous jure par le bon Dieu que s'il venait aujourd'hui me demander[3], je ne voudrais pas de lui. »

Elle avait l'air tellement sincère que le fermier hésita. Il reprit, comme se parlant à lui-même :

« Alors, quoi ? Il ne t'est pourtant pas arrivé un malheur, on le saurait. Et puisqu'il n'y a pas eu de conséquence, une fille ne refuserait pas son maître à

1. **Tarirent :** s'arrêtèrent.
2. **Lui as-tu promis ta foi :** t'es-tu engagée à te marier avec lui ?
3. **Demander :** demander en mariage.

cause de ça. Il faut pourtant qu'il y ait quelque chose. »

Elle ne répondait plus rien, étranglée par une angoisse.

Il demanda encore : « Tu ne veux point ? »

Elle soupira : « Je n'peux pas, not' maître. » Et il tourna les talons.

Elle se crut débarrassée et passa le reste du jour à peu près tranquille, mais aussi rompue et exténuée que si, à la place du vieux cheval blanc, on lui eût fait tourner depuis l'aurore la machine à battre le grain.

Elle se coucha sitôt qu'elle le put et s'endormit tout d'un coup.

Vers le milieu de la nuit, deux mains qui palpaient son lit la réveillèrent. Elle tressauta de frayeur, mais elle reconnut aussitôt la voix du fermier qui lui disait : « N'aie pas peur, Rose, c'est moi qui viens pour te parler. » Elle fut d'abord étonnée ; puis, comme il essayait de pénétrer sous ses draps, elle comprit ce qu'il cherchait et se mit à trembler très fort, se sentant seule dans l'obscurité, encore lourde de sommeil, et toute nue, et dans un lit, auprès de cet homme qui la voulait. Elle ne consentait pas, pour sûr, mais elle résistait nonchalamment, luttant elle-même contre l'instinct toujours plus puissant chez les natures simples, et mal protégée par la volonté indécise de ces races inertes et molles. Elle tournait sa tête tantôt vers le mur, tantôt vers la chambre, pour éviter les caresses dont la bouche du fermier poursuivait la sienne, et son corps se tordait un peu sous sa couverture, énervé par la fatigue de la lutte. Lui, devenait brutal, grisé[1] par le désir. Il la découvrit d'un mouvement brusque. Alors elle sentit

1. **Grisé :** enivré.

bien qu'elle ne pouvait plus résister. Obéissant à une pudeur d'autruche, elle cacha sa figure dans ses mains et cessa de se défendre.

Le fermier resta la nuit auprès d'elle. Il y revint le soir suivant, puis tous les jours.

Ils vécurent ensemble.

Un matin, il lui dit : « J'ai fait publier les bans, nous nous marierons le mois prochain. »

Elle ne répondit pas. Que pouvait-elle dire ? Elle ne résista point. Que pouvait-elle faire ?

IV

Elle l'épousa. Elle se sentait enfoncée dans un trou aux bords inaccessibles, dont elle ne pourrait jamais sortir, et toutes sortes de malheurs restaient suspendus sur sa tête comme de gros rochers qui tomberaient à la première occasion. Son mari lui faisait l'effet d'un homme qu'elle avait volé et qui s'en apercevrait un jour ou l'autre. Et puis elle pensait à son petit d'où venait tout son malheur, mais d'où venait aussi tout son bonheur sur la terre.

Elle allait le voir deux fois l'an et revenait plus triste chaque fois.

Cependant, avec l'habitude, ses appréhensions se calmèrent, son cœur s'apaisa, et elle vivait plus confiante avec une vague crainte flottant encore en son âme.

Des années passèrent ; l'enfant gagnait six ans. Elle était maintenant presque heureuse, quand tout à coup l'humeur du fermier s'assombrit.

Depuis deux ou trois années déjà il semblait nourrir une inquiétude, porter en lui un souci, quelque mal de l'esprit grandissant peu à peu. Il restait longtemps à table après son dîner, la tête enfoncée dans ses mains, et triste, triste, rongé par le chagrin. Sa parole devenait plus vive, brutale parfois ; et il semblait même qu'il avait une arrière-pensée contre sa femme, car il lui répondait par moments avec dureté, presque avec colère.

Un jour que le gamin d'une voisine était venu chercher des œufs, comme elle le rudoyait un peu, pressée par la besogne, son mari apparut tout à coup et lui dit de sa voix méchante :

« Si c'était le tien, tu ne le traiterais pas comme ça. »

Elle demeura saisie, sans pouvoir répondre, puis elle rentra, avec toutes ses angoisses réveillées.

Au dîner, le fermier ne lui parla pas, ne la regarda pas, et il semblait la détester, la mépriser, savoir quelque chose enfin.

Perdant la tête, elle n'osa point rester seule avec lui après le repas ; elle se sauva et courut jusqu'à l'église.

La nuit tombait ; l'étroite nef était toute sombre, mais un pas rôdait dans le silence là-bas, vers le chœur, car le sacristain[1] préparait pour la nuit la lampe du tabernacle[2]. Ce point de feu tremblotant, noyé dans les ténèbres de la voûte, apparut à Rose comme une dernière espérance, et, les yeux fixés sur lui, elle s'abattit à genoux.

La mince veilleuse[3] remonta dans l'air avec un bruit de chaîne. Bientôt retentit sur le pavé un saut régulier de sabots que suivait un frôlement de corde traînant, et la maigre cloche jeta l'Angelus[4] du soir à travers les brumes grandissantes. Comme l'homme allait sortir, elle le joignit.

---

1. Sacristain : personne qui s'occupe de l'entretien de l'église.
2. Tabernacle : petite armoire renfermant les hosties.
3. Veilleuse : petite lampe qui est ici suspendue.
4. Angelus : sonnerie de cloches annonçant la prière à la Vierge Marie.

« Monsieur le curé est-il chez lui ? » dit-elle.

Il répondit :

« Je crois bien, il dîne toujours à l'Angelus. »

Alors elle poussa en tremblant la barrière du presbytère[1]. Le prêtre se mettait à table. Il la fit asseoir aussitôt.

« Oui, oui, je sais, votre mari m'a parlé de ce qui vous amène. »

La pauvre femme défaillait. L'ecclésiastique[2] reprit :

« Que voulez-vous, mon enfant ? »

Et il avalait rapidement des cuillerées de soupe dont les gouttes tombaient sur sa soutane[3] rebondie et crasseuse au ventre.

Rose n'osait plus parler, ni implorer, ni supplier ; elle se leva ; le curé lui dit :

« Du courage… »

Et elle sortit.

Elle revint à la ferme sans savoir ce qu'elle faisait. Le maître l'attendait, les gens de peine étant partis en son absence. Alors elle tomba lourdement à ses pieds et elle gémit en versant des flots de larmes.

« Qu'est-ce que t'as contre moi ? »

Il se mit à crier en jurant :

« J'ai que je n'ai pas d'éfants, nom de Dieu ! Quand on prend une femme, c'n'est pas pour rester tout seuls tous les deux jusqu'à la fin. V'là c'que j'ai. Quand une vache n'a point de viaux, c'est qu'elle ne vaut rien. Quand une femme n'a point d'éfants, c'est aussi qu'elle ne vaut rien. »

1. **Presbytère :** maison du curé.
2. **Ecclésiastique :** homme d'Église.
3. **Soutane :** longue robe boutonnée portée autrefois par les prêtres.

Elle pleurait balbutiant, répétant :

« C'n'est point d'ma faute ! c'n'est point d'ma faute ! »

Alors il s'adoucit un peu et il ajouta :

« J'te dis pas, mais c'est contrariant tout de même. »

V

De ce jour elle n'eut plus qu'une pensée : avoir un enfant, un autre ; et elle confia son désir à tout le monde.

Une voisine lui indiqua un moyen : c'était de donner à boire à son mari tous les soirs, un verre d'eau avec une pincée de cendres. Le fermier s'y prêta, mais le moyen ne réussit pas.

Ils se dirent : « Peut-être qu'il y a des secrets. » Et ils allèrent aux renseignements. On leur désigna un berger qui demeurait à dix lieues de là ; et maître Vallin ayant attelé son tilbury[1] partit un jour pour le consulter. Le berger lui remit un pain sur lequel il fit des signes, un pain pétri avec des herbes et dont il fallait que tous deux mangeassent un morceau, la nuit, avant comme après leurs caresses.

Le pain tout entier fut consommé sans obtenir de résultat.

Un instituteur leur dévoila des mystères, des procédés d'amour inconnus aux champs, et infaillibles, disait-il. Ils ratèrent.

Le curé conseilla un pèlerinage au Précieux Sang de Fécamp[2]. Rose alla avec la foule se prosterner dans l'abbaye, et, mêlant son vœu aux souhaits grossiers

1. **Tilbury :** voiture légère.
2. Église de Fécamp où l'on conservait en relique un coffret contenant quelques gouttes de sang du Christ.

qu'exhalaient tous ces cœurs de paysans, elle supplia Celui que tous imploraient de la rendre encore une fois féconde. Ce fut en vain. Alors elle s'imagina être punie de sa première faute et une immense douleur l'envahit.

Elle dépérissait de chagrin ; son mari aussi vieillissait, « se mangeait les sangs », disait-on, se consumait en espoirs inutiles.

Alors la guerre éclata entre eux. Il l'injuria, la battit. Tout le jour il la querellait, et le soir dans leur lit, haletant, haineux, il lui jetait à la face des outrages et des ordures[1].

Une nuit enfin, ne sachant plus qu'inventer pour la faire souffrir davantage, il lui ordonna de se lever et d'aller attendre le jour sous la pluie devant la porte. Comme elle n'obéissait pas, il la saisit par le cou et se mit à la frapper au visage à coups de poing. Elle ne dit rien, ne remua pas. Exaspéré, il sauta à genoux sur son ventre ; et, les dents serrées, fou de rage, il l'assommait. Alors elle eut un instant de révolte désespérée, et, d'un geste furieux le rejetant contre le mur, elle se dressa sur son séant, puis, la voix changée, sifflante :

« J'en ai un éfant, moi, j'en ai un ! je l'ai eu avec Jacques ; tu sais bien, Jacques. Il devait m'épouser : il est parti. »

L'homme, stupéfait, restait là, aussi éperdu qu'elle-même ; il bredouillait :

« Qué que tu dis ? qué que tu dis ? »

Alors elle se mit à sangloter, et à travers ses larmes ruisselantes elle balbutia :

« C'est pour ça que je ne voulais pas t'épouser, c'est pour ça. Je ne pouvais point te le dire, tu m'aurais mise

1. **Ordures :** grossièretés.

sans pain[1] avec mon petit. Tu n'en as pas, toi, d'éfant ; tu ne sais pas, tu ne sais pas ! »

Il répétait machinalement, dans une surprise grandissante : « T'as un éfant ? t'as un éfant ? »

Elle prononça au milieu des hoquets :

« Tu m'as prise de force, tu le sais bien peut-être ? moi je ne voulais point t'épouser. »

Alors il se leva, alluma la chandelle, et se mit à marcher dans la chambre, les bras derrière le dos. Elle pleurait toujours, écroulée sur le lit. Tout à coup, il s'arrêta devant elle : « C'est de ma faute alors si je t'en ai pas fait ? » dit-il. Elle ne répondit pas. Il se remit à marcher ; puis, s'arrêtant de nouveau, il demanda :

« Quel âge qu'il a ton petiot ? »

Elle murmura :

« V'là qu'il va avoir six ans. »

Il demanda encore :

« Pourquoi que tu ne me l'as pas dit ? »

Elle gémit :

« Est-ce que je pouvais ! »

Il restait debout immobile.

« Allons, lève-toi », dit-il.

Elle se redressa péniblement ; puis, quand elle se fut mise sur ses pieds, appuyée au mur, il se prit à rire soudain de son gros rire des bons jours ; et comme elle demeurait bouleversée, il ajouta :

« Eh bien, on ira le chercher, c't'éfant, puisque nous n'en avons pas ensemble. »

Elle eut un tel effarement que si la force ne lui eût pas manqué, elle se serait assurément enfuie. Mais le fermier se frottait les mains et murmurait :

« Je voulais en adopter un, le v'là trouvé, le v'là trouvé. J'avais demandé au curé un orphelin. »

1. **Tu m'aurais mise sans pain :** tu m'aurais renvoyée.

Puis, riant toujours, il embrassa sur les deux joues sa femme éplorée et stupide, et il cria, comme si elle ne l'entendait pas :

« Allons la mère, allons voir s'il y a encore de la soupe ; moi j'en mangerai bien une potée. »

Elle passa sa jupe ; ils descendirent ; et pendant qu'à genoux elle rallumait le feu sous la marmite, lui, radieux, continuait à marcher à grands pas dans la cuisine en répétant :

« Eh bien, vrai, ça me fait plaisir ; c'est pas pour dire, mais je suis content, je suis bien content. »

(26 mars 1881)

PERSONNAGES : Rose, une servante

Maupassant, dans cette nouvelle, présente une héroïne dont l'itinéraire est tout à la fois ordinaire et exemplaire.

1. Étudiez le libellé du titre : qu'implique l'article indéfini ?

2. Relevez les détails qui montrent la sensualité et la force physique de Rose. Quel en est l'intérêt pour le déroulement de l'histoire ?

3. Pendant combien d'années Rose s'est-elle tue ? Qu'est-ce qui finalement la pousse à sortir du silence ?

4. Dans quelle attitude et dans quelle activité le narrateur nous montre-t-il Rose à la fin de l'histoire ?

SOCIÉTÉ : un monde fermé et âpre au gain

Le milieu décrit* est un milieu rural, rude, qui vit selon des règles économiques et sociales qui lui sont propres.

5. Justifiez l'ordre des personnages auxquels s'adresse Rose quand elle veut avoir un autre enfant.

6. Décrivez le travail d'une fille de ferme en utilisant les informations données par le texte.

7. Relevez ce qui fait de Rose « une excellente affaire » (l. 426). Quel reproche son mari peut-il lui faire ?

8. S'enrichir, c'est dépenser moins : quels éléments du texte décrivent ce système économique rural ?

THÈMES : hommes, enfant, nature

Maupassant évoque des relations humaines brutales et complexes, dans lesquelles le rapport à la nature tient une place particulière.

9. Comparez les scènes où les hommes parviennent à leurs fins avec Rose (les deux demandes en mariage et les coups donnés) : quand, par qui, pourquoi…

10. Comparez les deux portraits du bébé de Rose.

11. En quoi les comportements de Rose sont-ils excessifs et possessifs à l'égard de son enfant ?

12. La nature et ses « trous » : où Rose se repose-t-elle ? Où est-elle tentée de mourir ? Pourquoi ces lieux sont-ils attirants et dangereux à la fois ? Que pourraient-ils symboliser ?

L'ENFANT

Après avoir longtemps juré qu'il ne se marierait jamais, Jacques Bourdillère avait soudain changé d'avis. Cela était arrivé brusquement, un été, aux bains de mer.

Un matin, comme il était étendu sur le sable, tout occupé à regarder les femmes sortir de l'eau, un petit pied l'avait frappé par sa gentillesse et sa mignardise[1]. Ayant levé les yeux plus haut, toute la personne le séduisit. De toute cette personne, il ne voyait d'ailleurs que les chevilles et la tête émergeant d'un peignoir de flanelle blanche, clos avec soin. On le disait sensuel et viveur[2]. C'est donc par la seule grâce de la forme qu'il fut capté[3] d'abord ; puis il fut retenu par le charme d'un doux esprit de jeune fille, simple et bon, frais comme les joues et les lèvres.

Présenté à la famille, il plut et il devint bientôt fou d'amour. Quand il apercevait Berthe Lannis de loin, sur la longue plage de sable jaune, il frémissait jusqu'aux cheveux. Près d'elle, il devenait muet, incapable de rien dire et même de penser, avec une espèce de bouillonnement dans le cœur, de bourdonnement dans l'oreille, d'effarement dans l'esprit. Était-ce donc de l'amour, cela ?

Il ne le savait, n'y comprenait rien, mais demeurait, en tout cas, bien décidé à faire sa femme de cette enfant.

Les parents hésitèrent longtemps, retenus par la mauvaise réputation du jeune homme. Il avait une maîtresse, disait-on, une vieille maîtresse[4], une ancienne

1. **Mignardise :** grâce délicate.
2. **Viveur :** qui mène une vie de plaisir ; un noceur ou un fêtard.
3. **Capté :** attiré.
4. **Vieille maîtresse :** maîtresse de longue date (et non pas âgée).

et forte liaison, une de ces chaînes qu'on croit rompues et qui tiennent toujours.

Outre cela, il aimait, pendant des périodes plus ou moins longues, toutes les femmes qui passaient à portée de ses lèvres.

Alors il se rangea[1], sans consentir même à revoir une seule fois celle avec qui il avait vécu longtemps. Un ami régla la pension de cette femme, assura son existence. Jacques paya, mais ne voulut pas entendre parler d'elle, prétendant désormais ignorer jusqu'à son nom. Elle écrivit des lettres sans qu'il les ouvrît. Chaque semaine, il reconnaissait l'écriture maladroite de l'abandonnée ; et, chaque semaine, une colère plus grande lui venait contre elle, et il déchirait brusquement l'enveloppe et le papier, sans ouvrir, sans lire une ligne, une seule ligne, sachant d'avance les reproches et les plaintes contenus là-dedans.

Comme on ne croyait guère à sa persévérance, on fit durer l'épreuve tout l'hiver, et c'est seulement au printemps que sa demande fut agréée[2].

Le mariage eut lieu à Paris dans les premiers jours de mai.

Il était décidé qu'ils ne feraient point le classique voyage de noces. Après un petit bal, une sauterie[3] de jeunes cousines qui ne se prolongerait point au-delà de onze heures, pour ne pas éterniser les fatigues de cette longue journée de cérémonie, les jeunes époux devaient passer leur première nuit commune dans la maison familiale, puis partir seuls, le lendemain matin, pour la plage chère à leurs cœurs, où ils s'étaient connus et aimés.

---

1. **Se ranger :** s'assagir ; il rompit avec sa vie mouvementée précédente.
2. **Agréée :** acceptée.
3. **Sauterie :** petite réunion dansante.

La nuit était venue, on dansait dans le grand salon. Ils s'étaient retirés tous les deux dans un petit boudoir[1] japonais, tendu de soies éclatantes, à peine éclairé, ce soir-là, par les rayons alanguis[2] d'une grosse lanterne de couleur, pendue au plafond comme un œuf énorme. La fenêtre entrouverte laissait entrer parfois des souffles frais du dehors, des caresses d'air qui passaient sur les visages, car la soirée était tiède et calme, pleine d'odeurs de printemps.

Ils ne disaient rien ; ils se tenaient les mains en se les pressant parfois de toute leur force. Elle demeurait, les yeux vagues, un peu éperdue par ce grand changement dans sa vie, mais souriante, remuée, prête à pleurer, souvent prête aussi à défaillir[3] de joie, croyant le monde entier changé par ce qui lui arrivait, inquiète sans savoir de quoi, et sentant tout son corps, toute son âme envahis d'une indéfinissable et délicieuse lassitude.

Lui la regardait obstinément, souriant d'un sourire fixe. Il voulait parler, ne trouvait rien et restait là, mettant toute son ardeur en des pressions de mains. De temps en temps, il murmurait : « Berthe ! » et chaque fois elle levait les yeux sur lui d'un regard doux et tendre ; ils se contemplaient une seconde, puis son regard à elle, pénétré et fasciné par son regard à lui, retombait.

Ils ne découvraient aucune pensée à échanger. On les laissait seuls ; mais, parfois, un couple de danseurs jetait sur eux, en passant, un regard furtif[4], comme s'il eût été témoin discret et confident d'un mystère.

---

1. **Boudoir :** petit salon élégant.
2. **Alanguis :** affaiblis, sans vigueur.
3. **Défaillir :** s'évanouir, perdre connaissance.
4. **Furtif :** discret et rapide.

SITUER

Le soir de leur mariage, Berthe et Jacques se sont retirés un peu à l'écart de la réception.

RÉFLÉCHIR

GENRES : de la description* au cliché

1. Relevez et classez tout ce qui dans le texte donne à la scène une atmosphère sentimentale (lieu, milieu, saison, heure, décor, gestes, etc.).

2. Faites l'analyse grammaticale de la phrase : « Elle demeurait [...] lassitude » (l. 69 à 76). Que remarquez-vous ? Comment cette structure reflète-t-elle les sentiments de Berthe ?

3. Expliquez les expressions « rayons alanguis » (l. 62) et « caresses d'air » (l. 65). Nommez le procédé de style utilisé. Qu'est-ce qui est ainsi suggéré ?

PERSONNAGES : dialogue d'amoureux

4. Relevez les sujets des verbes dans l'ensemble du passage : comment leur répartition met-elle en valeur l'isolement des jeunes mariés ?

5. Recopiez les phrases ou expressions appartenant au champ lexical* de la parole, ainsi que les propos échangés. Qu'en concluez-vous ?

6. Quelles sont les formes de communication entre ces jeunes mariés ?

QUI PARLE ? QUI VOIT ? Points de vue et dérision

7. Comparez les deux expressions : « ce grand changement dans sa vie » (l. 70) et « croyant le monde entier changé par ce qui lui arrivait » (l. 72-73). Laquelle donne le point de vue du narrateur ? Laquelle donne le point de vue de Berthe ? Quel sera le point de vue retenu par le lecteur ?

8. Dans le passage : « Lui la regardait obstinément [...] retombait » (l. 77 à 84), relevez les redondances* qui ridiculisent un peu les personnages.

Une porte de côté s'ouvrit, un domestique entra, tenant sur un plateau une lettre pressée qu'un commissionnaire[1] venait d'apporter. Jacques prit en tremblant ce papier, saisi d'une peur vague et soudaine, la peur mystérieuse des brusques malheurs.

Il regarda longtemps l'enveloppe dont il ne connaissait point l'écriture, n'osant pas l'ouvrir, désirant follement ne pas lire, ne pas savoir, mettre en poche cela et se dire : « À demain. Demain, je serai loin, peu m'importe ! » Mais, sur un coin, deux grands mots soulignés : TRÈS URGENT, le retenaient et l'épouvantaient. Il demanda : « Vous permettez, mon amie ? », déchira la feuille collée et lut. Il lut le papier, pâlissant affreusement, le parcourut d'un coup et, lentement, sembla l'épeler.

Quand il releva la tête, toute sa face était bouleversée. Il balbutia : « Ma chère petite, c'est… c'est mon meilleur ami à qui il arrive un grand, un très grand malheur. Il a besoin de moi tout de suite… tout de suite… pour une affaire de vie ou de mort. Me permettez-vous de m'absenter vingt minutes ? Je reviens aussitôt. »

Elle bégaya, tremblante, effarée : « Allez, mon ami ! » n'étant pas encore assez sa femme pour oser l'interroger, pour exiger savoir. Et il disparut. Elle resta seule, écoutant danser dans le salon voisin.

Il avait pris un chapeau, le premier trouvé, un pardessus quelconque, et il descendit en courant l'escalier. Au moment de sauter dans la rue, il s'arrêta encore sous le bec de gaz du vestibule et relut la lettre.

1. **Commissionnaire :** coursier.

Voici ce qu'elle disait :

« Monsieur,

» Une fille Ravet, votre ancienne maîtresse, paraît-il, vient d'accoucher d'un enfant qu'elle prétend être à vous. La mère va mourir et implore votre visite. Je prends la liberté de vous écrire et de vous demander si vous pouvez accorder ce dernier entretien à cette femme, qui semble être très malheureuse et digne de pitié.

» Votre serviteur,

» Dr BONNARD. »

Quand il pénétra dans la chambre de la mourante, elle agonisait[1] déjà. Il ne la reconnut pas d'abord. Le médecin et deux gardes la soignaient, et partout à terre traînaient des seaux pleins de glace et des linges pleins de sang.

L'eau répandue inondait le parquet ; deux bougies brûlaient sur un meuble ; derrière le lit, dans un petit berceau d'osier, l'enfant criait, et, à chacun de ses vagissements[2], la mère, torturée, essayait un mouvement, grelottante sous les compresses gelées.

Elle saignait ; elle saignait, blessée à mort, tuée par cette naissance. Toute sa vie coulait ; et, malgré la glace, malgré les soins, l'invincible hémorragie continuait, précipitait son heure dernière.

Elle reconnut Jacques et voulut lever les bras : elle ne put pas, tant ils étaient faibles, mais sur ses joues livides des larmes commencèrent à glisser.

Il s'abattit à genoux près du lit, saisit une main pendante et la baisa frénétiquement[3] ; puis, peu à peu, il s'approcha tout près du maigre visage qui tressaillait

1. **Agonisait :** luttait contre sa mort proche.
2. **Vagissements :** cris plaintifs du nouveau-né.
3. **Frénétiquement :** avec fièvre et passion.

à son contact. Une des gardes, debout, une bougie à la main, les éclairait, et le médecin, s'étant reculé, regardait du fond de la chambre.

Alors d'une voix lointaine, en haletant, elle dit : « Je vais mourir, mon chéri ; promets-moi de rester jusqu'à la fin. Oh ! ne me quitte pas maintenant, ne me quitte pas au dernier moment ! »

Il la baisait au front, dans ses cheveux, en sanglotant.

Il murmura : « Sois tranquille, je vais rester. »

Elle fut quelques minutes avant de pouvoir parler encore, tant elle était oppressée et défaillante. Elle reprit : « C'est à toi, le petit. Je te le jure devant Dieu, je te le jure sur mon âme, je te le jure au moment de mourir. Je n'ai pas aimé d'autre homme que toi... Promets-moi de ne pas l'abandonner. » Il essayait de prendre encore dans ses bras ce misérable corps déchiré, vidé de sang. Il balbutia, affolé de remords et de chagrin : « Je te le jure, je l'élèverai et je l'aimerai. Il ne me quittera pas. » Alors elle tenta d'embrasser Jacques. Impuissante à lever sa tête épuisée, elle tendait ses lèvres blanches dans un appel de baiser. Il approcha sa bouche pour cueillir cette lamentable et suppliante caresse.

Un peu calmée, elle murmura tout bas : « Apporte-le, que je voie si tu l'aimes. »

Et il alla chercher l'enfant.

Il le posa doucement sur le lit, entre eux, et le petit être cessa de pleurer. Elle murmura : « Ne bouge plus ! » Et il ne remua plus. Il resta là, tenant en sa main brûlante cette main que secouaient des frissons d'agonie, comme il avait tenu, tout à l'heure, une autre main que crispaient des frissons d'amour. De temps en temps, il regardait l'heure, d'un coup d'œil furtif, guettant l'aiguille qui passait minuit, puis une heure, puis deux heures.

Le médecin s'était retiré ; les deux gardes après avoir rôdé quelque temps, d'un pas léger, par la chambre, sommeillaient maintenant sur des chaises. L'enfant dormait, et la mère, les yeux fermés, semblait se reposer aussi.

Tout à coup, comme le jour blafard[1] filtrait entre les rideaux croisés, elle tendit ses bras d'un mouvement si brusque et si violent qu'elle faillit jeter à terre son enfant. Une espèce de râle[2] se glissa dans sa gorge ; puis elle demeura sur le dos, immobile, morte.

Les gardes accourues déclarèrent : « C'est fini. »

Il regarda une dernière fois cette femme qu'il avait aimée, puis la pendule qui marquait quatre heures, et s'enfuit oubliant son pardessus, en habit noir, avec l'enfant dans ses bras.

Après qu'il l'eut laissée seule, sa jeune femme avait attendu, assez calme d'abord, dans le petit boudoir japonais. Puis, ne le voyant point reparaître, elle était rentrée dans le salon, d'un air indifférent et tranquille, mais inquiète horriblement. Sa mère, l'apercevant seule, avait demandé : « Où donc est ton mari ? » Elle avait répondu : « Dans sa chambre ; il va revenir. »

Au bout d'une heure, comme tout le monde l'interrogeait, elle avoua la lettre et la figure bouleversée de Jacques, et ses craintes d'un malheur.

On attendit encore. Les invités partirent ; seuls, les parents les plus proches demeuraient. À minuit, on coucha la mariée toute secouée de sanglots. Sa mère et deux tantes, assises autour du lit, l'écoutaient pleurer, muettes et désolées… Le père était parti chez le commissaire de police pour chercher des renseignements.

1. **Blafard :** pâle et sans éclat.
2. **Râle :** son rauque de la respiration.

À cinq heures, un bruit léger glissa dans le corridor ; une porte s'ouvrit et se ferma doucement ; puis soudain un petit cri pareil à un miaulement de chat courut dans la maison silencieuse.

Toutes les femmes furent debout d'un bond, et Berthe, la première, s'élança, malgré sa mère et ses tantes, enveloppée de son peignoir de nuit.

Jacques, debout au milieu de la chambre, livide, haletant, tenait un enfant dans ses bras.

Les quatre femmes le regardèrent effarées ; mais Berthe, devenue soudain téméraire, le cœur crispé d'angoisse, courut à lui : « Qu'y a-t-il ? dites, qu'y a-t-il ? »

Il avait l'air fou ; il répondit d'une voix saccadée : « Il y a… il y a… que j'ai un enfant, et que la mère vient de mourir… » Et il présentait dans ses mains inhabiles[1] le marmot hurlant.

Berthe, sans dire un mot, saisit l'enfant, l'embrassa, l'étreignant contre elle ; puis relevant sur son mari ses yeux pleins de larmes : « La mère est morte, dites-vous ? » Il répondit : « Oui, tout de suite… dans mes bras… J'avais rompu depuis l'été… Je ne savais rien, moi… c'est le médecin qui m'a fait venir… »

Alors Berthe murmura : « Eh bien, nous l'élèverons, ce petit. »

(24 juillet 1882)

1. Aujourd'hui, nous dirions plutôt *malhab*

GENRES : préparer le drame

La brièveté de la nouvelle (voir p. 200) impose une narration tout entière orientée vers une fin à la fois attendue et surprenante.

Les procédés de retardement

1. Qu'est-ce qui explique que Jacques ne soit pas au courant de la situation de son ancienne maîtresse ?

2. Pour quelles raisons Jacques tremble-t-il en prenant la lettre apportée le soir de son mariage ? Pourquoi ne l'ouvre-t-il pas immédiatement ?

3. Quel rôle joue le mensonge de Jacques pour sa femme et pour lui-même ? Quels sont les effets possibles de ce mensonge sur le lecteur ? Qu'est-ce que les deux premières pages de la nouvelle peuvent laisser prévoir ?

*Les procédés de dramatisation**

4. Quels procédés typographiques soulignent l'importance de la lettre ?

5. Combien de fois Jacques a-t-il lu la lettre ? À quoi sert la dernière lecture ?

6. Depuis « une porte de côté s'ouvrit [...] » (l. 89) jusqu'à la fin, relevez tout ce qui traduit les émotions des personnages : la ponctuation, les types de phrases dans les dialogues, les verbes introducteurs du discours direct*, le vocabulaire.

THÈMES : la mort et la mère

Le récit de la mort est d'ordinaire l'un des grands moments du romanesque. Il se charge ici, en écho avec un mariage et une naissance, de riches valeurs symboliques.

L'agonie

7. Relevez, dans les lignes 129 à 193, le champ lexical de l'écoulement et les mots et expressions marquant une impuissance à agir. Quelle tonalité est ainsi donnée à la scène ?

*Maternité et symboles**

8. Que peut symboliser la comparaison de la lanterne du boudoir japonais avec un œuf énorme ? Que se passe-t-il au même moment pour la maîtresse abandonnée ?

9. Quelles sont les deux scènes du texte qui se répondent en s'opposant ?

10. Reconstituez précisément l'itinéraire de l'enfant. Mettez-le en relation avec la dernière phrase du texte.

11. Que devient Berthe à la fin du texte ? Qu'y a-t-il d'extraordinaire dans sa situation ?

12. Pourquoi la nouvelle s'intitule-t-elle *L'Enfant* et non pas *Berthe* ou *Jacques* ?

ÉCRIRE

13. Changement de point de vue narratif : Berthe raconte à sa mère le départ précipité de Jacques.

La rempailleuse

À Léon Hennique[1].

C'était à la fin du dîner d'ouverture de chasse chez le marquis de Bertrans. Onze chasseurs, huit jeunes femmes et le médecin du pays étaient assis autour de la grande table illuminée, couverte de fruits et de fleurs.

On vint à parler d'amour, et une grande discussion s'éleva, l'éternelle discussion, pour savoir si on pouvait aimer vraiment une seule fois ou plusieurs fois. On cita des exemples de gens n'ayant jamais eu qu'un amour sérieux ; on cita aussi d'autres exemples de gens ayant aimé souvent, avec violence. Les hommes, en général, prétendaient que la passion, comme les maladies, peut frapper plusieurs fois le même être, et le frapper à le tuer si quelque obstacle se dresse devant lui. Bien que cette manière de voir ne fût pas contestable, les femmes, dont l'opinion s'appuyait sur la poésie bien plus que sur l'observation, affirmaient que l'amour, l'amour vrai, le grand amour, ne pouvait tomber qu'une fois sur un mortel, qu'il était semblable à la foudre, cet amour, et qu'un cœur touché par lui demeurait ensuite tellement vidé, ravagé, incendié, qu'aucun autre sentiment puissant, même aucun rêve, n'y pouvait germer de nouveau.

Le marquis ayant aimé beaucoup, combattait vivement cette croyance :

– Je vous dis, moi, qu'on peut aimer plusieurs fois avec toutes ses forces et toute son âme. Vous me citez des gens qui se sont tués par amour, comme preuve de

1. Écrivain, ami de Maupassant et de Zola.

l'impossibilité d'une seconde passion. Je vous répondrai que, s'ils n'avaient pas commis cette bêtise de se suicider, ce qui leur enlevait toute chance de rechute, ils se seraient guéris ; et ils auraient recommencé, et toujours, jusqu'à la mort naturelle. Il en est des amoureux comme des ivrognes. Qui a bu boira – qui a aimé aimera. C'est une affaire de tempérament, cela.

On prit pour arbitre le docteur, vieux médecin parisien retiré aux champs, et on le pria de donner son avis.

Justement il n'en avait pas :

– Comme l'a dit le marquis, c'est une affaire de tempérament ; quant à moi, j'ai eu connaissance d'une passion qui dura cinquante-cinq ans, sans un jour de répit, et qui ne se termina que par la mort.

La marquise battit des mains.

– Est-ce beau cela ! Et quel rêve d'être aimé ainsi ! Quel bonheur de vivre cinquante-cinq ans tout enveloppé de cette affection acharnée et pénétrante[1] ! Comme il a dû être heureux, et bénir la vie, celui qu'on adora de la sorte !

Le médecin sourit :

– En effet, madame, vous ne vous trompez pas sur ce point, que l'être aimé fut un homme. Vous le connaissez, c'est M. Chouquet, le pharmacien du bourg. Quant à elle, la femme, vous l'avez connue aussi, c'est la vieille rempailleuse de chaises qui venait tous les ans au château. Mais je vais me faire mieux comprendre.

L'enthousiasme des femmes était tombé, et leur visage dégoûté disait : « Pouah ! » comme si l'amour n'eût dû frapper que des êtres fins et distingués, seuls dignes de l'intérêt des gens comme il faut.

---

1. **Pénétrante :** forte, puissante.

SITUER

À la fin d'un dîner de chasse, les convives entament une discussion sur l'amour.

RÉFLÉCHIR

QUI PARLE ? QUI VOIT ? Le point de vue narratif

1. Où et quand se situe la scène ? Relevez tous les renseignements sur les personnages présents.

2. Quels sont les déterminants utilisés dans le premier paragraphe ? Quel est l'effet produit ? Quel est l'intérêt de donner le nom du marquis ?

3. « On vint à parler d'amour » (l. 5) : remplacez le pronom par la troisième personne du pluriel, puis par la première personne du pluriel. Quel groupe de personnages représenterait chacun de ces pronoms ? Quel est l'intérêt du choix du pronom *on* comme sujet ?

4. Du point de vue de qui ce début d'histoire est-il raconté ? Qu'est-ce qui le montre ?

STRATÉGIES : argumentation et fausses pistes

5. Relevez le champ lexical de l'argumentation*.

6. Comparez les interventions du marquis et de la marquise : leur longueur, la structure des phrases, les types de phrases, la nature des arguments ; le ton. Quel est l'intérêt de ces différences ?

7. Pour quelles raisons prend-on le médecin comme arbitre ?

8. Selon vous, quelle est, d'après les deux premiers paragraphes, l'opinion du narrateur sur le grand amour ? Se range-t-il du côté des hommes ou des femmes ? Justifiez votre réponse.

9. Mêmes questions pour le médecin.

10. À quel genre d'histoire le lecteur peut-il s'attendre après cet incipit* ? Quels indices laissent présager que l'histoire du médecin va décevoir cette attente ?

ÉCRIRE

11. À la manière de Maupassant, mettez en scène un groupe de personnages qui commencent à débattre d'un sujet général (de votre choix). Utilisez trois des procédés de style de Maupassant (*cf.* questions 5 et 6).

Le médecin reprit :

– J'ai été appelé, il y a trois mois, auprès de cette vieille femme, à son lit de mort. Elle était arrivée la veille, dans la voiture qui lui servait de maison, traînée par la rosse[1] que vous avez vue, et accompagnée de ses deux grands chiens noirs, ses amis et ses gardiens. Le curé était déjà là. Elle nous fit ses exécuteurs testamentaires[2], et, pour nous dévoiler le sens de ses volontés dernières, elle nous raconta toute sa vie. Je ne sais rien de plus singulier et de plus poignant[3].

Son père était rempailleur et sa mère rempailleuse. Elle n'a jamais eu de logis planté en terre.

Toute petite, elle errait, haillonneuse[4], vermineuse[5], sordide[6]. On s'arrêtait à l'entrée des villages, le long des fossés ; on dételait la voiture ; le cheval broutait ; le chien dormait, le museau sur ses pattes ; et la petite se roulait dans l'herbe pendant que le père et la mère rafistolaient, à l'ombre des ormes du chemin, tous les vieux sièges de la commune. On ne parlait guère, dans cette demeure ambulante. Après les quelques mots nécessaires pour décider qui ferait le tour des maisons en poussant le cri bien connu : « Remmmpailleur de chaises ! » on se mettait à tortiller la paille, face à face ou côte à côte. Quand l'enfant allait trop loin ou tentait d'entrer en relations avec quelque galopin du village, la voix colère[7] du père la rappelait : « Veux-tu bien revenir ici, crapule ! » C'étaient les seuls mots de tendresse qu'elle entendait.

1. **Rosse :** mauvais cheval.
2. **Exécuteurs testamentaires :** personnes chargées de veiller au respect des dernières volontés du mort.
3. **Poignant :** très émouvant.
4. **Haillonneuse :** habillée de vêtements en lambeaux.
5. **Vermineuse :** couverte de vermine (poux, puces).
6. **Sordide :** d'une saleté repoussante.
7. **Colère :** en colère (emploi vieilli de nos jours).

Gravure sur bois de G. Lemoine d'après Lucien Barbut
pour *La Rempailleuse*, extraite de l'édition de 1901
des *Contes de la bécasse*. (Bibliothèque nationale de France, Paris.)

Quand elle devint plus grande, on l'envoya faire la récolte des fonds de siège avariés[1]. Alors elle ébaucha quelques connaissances de place en place avec les gamins ; mais c'étaient alors les parents de ses nouveaux amis qui rappelaient brutalement leurs enfants : « Veux-tu bien venir ici, polisson ! Que je te voie causer avec les va-nu-pieds !... »

Souvent les petits gars lui jetaient des pierres.

Des dames lui ayant donné quelques sous, elle les garda soigneusement.

Un jour – elle avait alors onze ans – comme elle passait par ce pays[2], elle rencontra derrière le cimetière le petit Chouquet qui pleurait parce qu'un camarade lui avait volé deux liards[3]. Ces larmes d'un petit bourgeois, d'un de ces petits qu'elle s'imaginait, dans sa frêle caboche[4] de déshéritée, être toujours contents et joyeux, la bouleversèrent. Elle s'approcha, et, quand elle connut la raison de sa peine, elle versa entre ses mains toutes ses économies, sept sous, qu'il prit naturellement, en essuyant ses larmes. Alors, folle de joie, elle eut l'audace de l'embrasser. Comme il considérait attentivement sa monnaie, il se laissa faire. Ne se voyant ni repoussée ni battue, elle recommença ; elle l'embrassa à pleins bras, à plein cœur. Puis elle se sauva.

Que se passa-t-il dans cette misérable tête ? S'est-elle attachée à ce mioche parce qu'elle lui avait sacrifié sa fortune de vagabonde, ou parce qu'elle lui avait donné son premier baiser tendre ? Le mystère est le même pour les petits que pour les grands.

---

1. **Avariés :** abîmés.
2. **Ce pays :** ce village.
3. **Liards :** petites pièces de monnaie. Voir p. 205.
4. **Caboche :** tête (mot familier).

Pendant des mois, elle rêva de ce coin de cimetière et de ce gamin. Dans l'espérance de le revoir, elle vola ses parents, grappillant un sou par-ci, un sou par-là, sur un rempaillage, ou sur les provisions qu'elle allait acheter. Quand elle revint, elle avait deux francs dans sa poche, mais elle ne put qu'apercevoir le petit pharmacien, bien propre, derrière les carreaux de la boutique paternelle, entre un bocal rouge et un ténia[1].

Elle ne l'en aima que davantage, séduite, émue, extasiée par cette gloire[2] de l'eau colorée, cette apothéose[3] des cristaux luisants.

Elle garda en elle son souvenir ineffaçable, et, quand elle le rencontra, l'an suivant, derrière l'école, jouant aux billes avec ses camarades, elle se jeta sur lui, le saisit dans ses bras, et le baisa[4] avec tant de violence qu'il se mit à hurler de peur. Alors, pour l'apaiser, elle lui donna son argent : trois francs vingt, un vrai trésor, qu'il regardait avec des yeux agrandis.

Il le prit et se laissa caresser tant qu'elle voulut.

Pendant quatre ans encore, elle versa entre ses mains toutes ses réserves, qu'il empochait avec conscience en échange de baisers consentis[5]. Ce fut une fois trente sous, une fois deux francs, une fois douze sous seulement (elle en pleura de peine et d'humiliation, mais l'année avait été mauvaise) et la dernière fois, cinq francs, une grosse pièce ronde, qui le fit rire d'un rire content.

Elle ne pensait plus qu'à lui ; et il attendait son retour avec une certaine impatience, courait au-devant d'elle en la voyant, ce qui faisait bondir son cœur de fillette.

---

1. **Ténia :** ver solitaire. On trouvait souvent dans les pharmacies des bocaux montrant des animaux conservés dans l'alcool.
2. **Gloire :** éclat surnaturel, comme celui d'une auréole.
3. **Apothéose :** spectacle d'une beauté divine.
4. **Baisa :** embrassa.
5. **Consentis :** acceptés.

Puis il disparut. On l'avait mis au collège. Elle le sut en interrogeant habilement. Alors elle usa d'une diplomatie[1] infinie pour changer l'itinéraire de ses parents et les faire passer par ici au moment des vacances. Elle y réussit, mais après un an de ruses. Elle était donc restée deux ans sans le revoir ; et elle le reconnut à peine, tant il était changé, grandi, embelli, imposant dans sa tunique[2] à boutons d'or. Il feignit de ne pas la voir et passa fièrement près d'elle.

Elle en pleura pendant deux jours ; et depuis lors elle souffrit sans fin.

Tous les ans elle revenait ; passait devant lui sans oser le saluer et sans qu'il daignât même tourner les yeux vers elle. Elle l'aimait éperdument. Elle me dit : « C'est le seul homme que j'aie vu sur la terre, monsieur le médecin ; je ne sais pas si les autres existaient seulement. »

Ses parents moururent. Elle continua leur métier, mais elle prit deux chiens au lieu d'un, deux terribles chiens qu'on n'aurait pas osé braver.

Un jour, en rentrant dans ce village où son cœur était resté, elle aperçut une jeune femme qui sortait de la boutique Chouquet au bras de son bien-aimé. C'était sa femme. Il était marié.

Le soir même, elle se jeta dans la mare qui est sur la place de la Mairie. Un ivrogne attardé la repêcha, et la porta à la pharmacie. Le fils Chouquet descendit en robe de chambre, pour la soigner, et, sans paraître la reconnaître, la déshabilla, la frictionna, puis il lui dit d'une voix dure : « Mais vous êtes folle ! Il ne faut pas être bête comme ça ! »

Cela suffit pour la guérir. Il lui avait parlé ! Elle était heureuse pour longtemps.

---

1. **Diplomatie :** manière habile et discrète de procéder.
2. **Tunique :** veste d'uniforme.

Il ne voulut rien recevoir en rémunération de ses soins, bien qu'elle insistât vivement pour les payer.

Et toute sa vie s'écoula ainsi. Elle rempaillait en songeant à Chouquet. Tous les ans elle l'apercevait derrière ses vitraux[1]. Elle prit l'habitude d'acheter chez lui des provisions de menus médicaments. De la sorte elle le voyait de près, et lui parlait, et lui donnait encore de l'argent.

Comme je vous l'ai dit en commençant, elle est morte ce printemps. Après m'avoir raconté toute cette histoire, elle me pria de remettre à celui qu'elle avait si patiemment aimé toutes les économies de son existence, car elle n'avait travaillé que pour lui, rien que pour lui, disait-elle, jeûnant[2] même pour mettre de côté, et être sûre qu'il penserait à elle, au moins une fois, quand elle serait morte.

Elle me donna donc deux mille trois cent vingt-sept francs[3]. Je laissai à M. le curé les vingt-sept francs pour l'enterrement, et j'emportai le reste quand elle eut rendu le dernier soupir.

Le lendemain, je me rendis chez les Chouquet. Ils achevaient de déjeuner, en face l'un de l'autre, gros et rouges, fleurant[4] les produits pharmaceutiques, importants et satisfaits.

On me fit asseoir ; on m'offrit un kirsch[5], que j'acceptai ; et je commençai mon discours d'une voix émue, persuadé qu'ils allaient pleurer.

Dès qu'il eut compris qu'il avait été aimé de cette vagabonde, de cette rempailleuse, de cette rouleuse[6],

1. La pharmacie a des vitres en verre coloré.
2. **Jeûnant :** se privant de nourriture.
3. Voir p. 205
4. **Fleurant :** sentant, exhalant une odeur.
5. **Kirsch :** eau-de-vie de cerises.
6. **Rouleuse, gueuse :** fille qui traîne, mendiante.

Chouquet bondit d'indignation, comme si elle lui avait volé sa réputation, l'estime des honnêtes gens, son honneur intime, quelque chose de délicat qui lui était plus cher que la vie.

Sa femme, aussi exaspérée que lui, répétait : « Cette gueuse ! cette gueuse, cette gueuse !... » sans pouvoir trouver autre chose.

Il s'était levé ; il marchait à grands pas derrière la table, le bonnet grec[1] chaviré sur une oreille. Il balbutiait : « Comprend-on ça, docteur ? Voilà de ces choses horribles pour un homme ! Que faire ? Oh ! si je l'avais su de son vivant, je l'aurais fait arrêter par la gendarmerie et flanquer en prison. Et elle n'en serait pas sortie, je vous en réponds ! »

Je demeurais stupéfait du résultat de ma démarche pieuse. Je ne savais que dire ni que faire. Mais j'avais à compléter ma mission. Je repris : « Elle m'a chargé de vous remettre ses économies, qui montent à deux mille trois cents francs. Comme ce que je viens de vous apprendre semble vous être fort désagréable, le mieux serait peut-être de donner cet argent aux pauvres. »

Ils me regardaient, l'homme et la femme, perclus[2] de saisissement.

Je tirai l'argent de ma poche, du misérable argent de tous les pays et de toutes les marques, de l'or et des sous mêlés. Puis je demandai : « Que décidez-vous ? »

Mme Chouquet parla la première : « Mais, puisque c'était sa dernière volonté, à cette femme... il me semble qu'il nous est bien difficile de refuser. »

Le mari, vaguement confus, reprit : « Nous pourrions toujours acheter avec ça quelque chose pour nos enfants. »

---

1. **Bonnet grec :** bonnet carré porté par les pharmaciens.
2. **Perclus :** paralysés.

Je dis d'un air sec : « Comme vous voudrez. »

Il reprit : « Donnez toujours, puisqu'elle vous en a chargé ; nous trouverons bien moyen de l'employer à quelque bonne œuvre. »

Je remis l'argent, je saluai, et je partis.

Le lendemain Chouquet vint me trouver et, brusquement : « Mais elle a laissé ici sa voiture, cette… cette femme. Qu'est-ce que vous en faites de cette voiture ?

– Rien, prenez-la si vous voulez.

– Parfait ; cela me va ; j'en ferai une cabane pour mon potager. »

Il s'en allait. Je le rappelai. « Elle a laissé aussi son vieux cheval et ses deux chiens. Les voulez-vous ? » Il s'arrêta surpris : « Ah ! non, par exemple ; que voulez-vous que j'en fasse ? Disposez-en comme vous voudrez. » Et il riait. Puis il me tendit sa main que je serrai. Que voulez-vous ? Il ne faut pas, dans un pays, que le médecin et le pharmacien soient ennemis.

J'ai gardé les chiens chez moi. Le curé, qui a une grande cour, a pris le cheval. La voiture sert de cabane à Chouquet ; et il a acheté cinq obligations[1] de chemin de fer avec l'argent.

Voilà le seul amour profond que j'aie rencontré, dans ma vie.

Le médecin se tut.

Alors la marquise, qui avait des larmes dans les yeux, soupira : « Décidément, il n'y a que les femmes pour savoir aimer ! »

(27 septembre 1882)

1. **Obligations :** sorte d'actions rapportant des intérêts.

STRUCTURE : le récit dans le récit

Malgré la brièveté de la nouvelle, Maupassant y utilise la technique du récit enchâssé, qui donne complexité et profondeur à l'histoire.

1. Reconstituez dans l'ordre chronologique les événements rapportés dans cette nouvelle.
2. Combien y a-t-il de narrateurs ? Précisez qui ils sont, le moment de leur intervention et à qui ils s'adressent.
3. Représentez par un schéma (à base de cercles) la façon dont les différents récits s'enchâssent* les uns dans les autres.
4. Où se situe sur ce schéma le récit de l'auteur ? Supposons que vous deviez faire un compte rendu de cette nouvelle, où placez-vous votre récit sur ce schéma ?

SOCIÉTÉ : les barrières sociales

Les romans et nouvelles de Maupassant constituent à la fois une évocation de la société à la fin du XIXe siècle et une mise en cause de son fonctionnement.

5. Quels renseignements l'illustration p. 80 donne-t-elle sur l'enfance de la rempailleuse ?
6. Classez hiérarchiquement les catégories sociales représentées dans le texte.
7. Que suggère le nom de Chouquet ? Qu'est-ce qui caractérise son mode de vie ? Que signifie « importants », ligne 199 ? Relevez les situations où Chouquet est placé derrière quelque chose : qu'y a-t-il derrière sa façade honorable ?
8. Qu'est-ce qui détermine les déplacements de la rempailleuse ? Quel est le but de l'unique déplacement de Chouquet ?
9. Faites le schéma actantiel* de ces deux personnages : comment sont-ils socialement et psychologiquement à l'extrême opposé l'un de l'autre ?

THÈMES : l'amour et l'argent

10. La rempailleuse : a) A-t-elle reçu de l'affection dans sa vie ? b) Pourquoi paie-t-elle Chouquet ? c) Comment exprime-t-elle son amour ? d) Quel verbe utilise-t-elle pour en parler au médecin ? Pourquoi ce verbe est-il important pour elle ?

11. Chouquet : a) Quel est son comportement vis-à-vis de la jeune rempailleuse ? b) Quels sont ses seuls gestes ? Quel « métier » la ligne 134 pourrait-elle définir ? c) Quand feint-il de ne pas la voir, et pourquoi ?

12. Quels sont leurs contacts physiques à l'âge adulte ? Pourquoi la rempailleuse en est-elle heureuse ?

13. L'argent de la rempailleuse : a) Pour quelles raisons les sommes d'argent sont-elles énumérées précisément ? b) Quels sont les deux éléments de son legs refusés par Chouquet ? Pourquoi ?

14. Relevez la phrase où le médecin donne son opinion finale sur cette histoire d'amour. Quel contraste brutal fait-elle avec le paragraphe qui la précède ? Quel est l'effet produit ?

ÉCRIRE

15. Question d'ensemble : relevez les noms et les dénominations des personnages des nouvelles de ce recueil. Classez vos observations.

16. Une lettre narrative : Mme Chouquet écrit à sa sœur. Elle raconte les faits et justifie l'acceptation et l'utilisation du legs de la rempailleuse.

Aux champs

À Octave Mirbeau[1].

Les deux chaumières étaient côte à côte, au pied d'une colline, proches d'une petite ville de bains[2]. Les deux paysans besognaient[3] dur sur la terre inféconde pour élever tous leurs petits. Chaque ménage en avait quatre. Devant les deux portes voisines, toute la marmaille grouillait du matin au soir. Les deux aînés avaient six ans et les deux cadets quinze mois environ ; les mariages, et, ensuite, les naissances s'étaient produits à peu près simultanément dans l'une et l'autre maison.

Les deux mères distinguaient à peine leurs produits dans le tas ; et les deux pères confondaient tout à fait. Les huit noms dansaient dans leur tête, se mêlaient sans cesse ; et, quand il fallait en appeler un, les hommes souvent en criaient trois avant d'arriver au véritable.

La première des deux demeures, en venant de la station d'eaux[4] de Rolleport, était occupée par les Tuvache, qui avaient trois filles et un garçon ; l'autre masure[5] abritait les Vallin, qui avaient une fille et trois garçons.

Tout cela vivait péniblement de soupe, de pommes de terre et de grand air. À sept heures, le matin, puis à midi, puis à six heures, le soir, les ménagères

1. Écrivain contemporain de Maupassant.
2. **De bains :** de bord de mer.
3. **Besogner :** travailler durement, péniblement.
4. **Station d'eaux :** ville balnéaire, de bord de mer (ou ville thermale). – Rolleport est un nom inventé par Maupassant.
5. **Masure :** petite maison délabrée et misérable.

réunissaient leurs mioches pour donner la pâtée, comme des gardeurs d'oies assemblent leurs bêtes. Les enfants étaient assis, par rang d'âge, devant la table en bois, vernie par cinquante ans d'usage. Le dernier moutard avait à peine la bouche au niveau de la planche. On posait devant eux l'assiette creuse pleine de pain molli dans l'eau où avaient cuit les pommes de terre, un demi-chou et trois oignons ; et toute la ligne mangeait jusqu'à plus faim. La mère empâtait[1] elle-même le petit. Un peu de viande au pot-au-feu, le dimanche, était une fête pour tous ; et le père, ce jour-là, s'attardait au repas en répétant : « Je m'y ferais bien tous les jours. »

Par un après-midi du mois d'août, une légère voiture s'arrêta brusquement devant les deux chaumières, et une jeune femme, qui conduisait elle-même, dit au monsieur assis à côté d'elle :

« Oh ! regarde, Henri, ce tas d'enfants ! Sont-ils jolis, comme ça, à grouiller dans la poussière ! »

L'homme ne répondit rien, accoutumé à ces admirations qui étaient une douleur et presque un reproche pour lui. La jeune femme reprit :

« Il faut que je les embrasse ! Oh ! comme je voudrais en avoir un, celui-là, le tout-petit. »

Et, sautant de la voiture, elle courut aux enfants, prit un des deux derniers, celui des Tuvache, et, l'enlevant dans ses bras, elle le baisa passionnément sur ses joues sales, sur ses cheveux blonds frisés et pommadés de terre, sur ses menottes qu'il agitait pour se débarrasser des caresses ennuyeuses.

Puis elle remonta dans sa voiture et partit au grand trot. Mais elle revint la semaine suivante, s'assit elle-

1. **Empâtait :** nourrissait comme on gave une volaille.

Eau-forte de Gaston Nick pour *Aux champs*, 1928.
(Bibliothèque nationale de France, Paris.)

même par terre, prit le moutard dans ses bras, le bourra de gâteaux, donna des bonbons à tous les autres ; et joua avec eux comme une gamine, tandis que son mari attendait patiemment dans sa frêle voiture.

Elle revint encore, fit connaissance avec les parents, reparut tous les jours, les poches pleines de friandises et de sous.

Elle s'appelait Mme Henri d'Hubières.

Un matin, en arrivant, son mari descendit avec elle ; et, sans s'arrêter aux mioches, qui la connaissaient bien maintenant, elle pénétra dans la demeure des paysans.

Ils étaient là, en train de fendre du bois pour la soupe ; ils se redressèrent tout surpris, donnèrent des chaises et attendirent. Alors la jeune femme, d'une voix entrecoupée, tremblante, commença :

« Mes braves gens, je viens vous trouver parce que je voudrais bien... je voudrais bien emmener avec moi votre... votre petit garçon... »

Les campagnards, stupéfaits et sans idée, ne répondirent pas.

Elle reprit haleine et continua.

« Nous n'avons pas d'enfants ; nous sommes seuls, mon mari et moi... Nous le garderions... voulez-vous ? »

La paysanne commençait à comprendre. Elle demanda :

« Vous voulez nous prend'e Charlot ? Ah ben non, pour sûr. »

Alors M. d'Hubières intervint :

« Ma femme s'est mal expliquée. Nous voulons l'adopter, mais il reviendra vous voir. S'il tourne bien, comme tout porte à le croire, il sera notre héritier. Si nous avions, par hasard, des enfants, il partagerait également avec eux. Mais s'il ne répondait pas à nos soins, nous lui donnerions, à sa majorité, une somme de vingt mille francs, qui sera immédiatement déposée en son nom chez un notaire. Et, comme on a aussi pensé à vous, on vous servira jusqu'à votre mort une rente[1] de cent francs par mois. Avez-vous bien compris ? »

La fermière s'était levée, toute furieuse.

« Vous voulez que j'vous vendions Charlot ? Ah ! mais non ; c'est pas des choses qu'on d'mande à une mère, ça ! Ah ! mais non ! Ce s'rait une abomination[2]. »

L'homme ne disait rien, grave et réfléchi ; mais il approuvait sa femme d'un mouvement continu de la tête.

Mme d'Hubières, éperdue, se mit à pleurer, et, se tournant vers son mari, avec une voix pleine de sanglots, une voix d'enfant dont tous les désirs ordinaires sont satisfaits, elle balbutia :

« Ils ne veulent pas, Henri, ils ne veulent pas ! »

Alors ils firent une dernière tentative.

« Mais, mes amis, songez à l'avenir de votre enfant, à son bonheur, à… »

La paysanne, exaspérée, lui coupa la parole :

« C'est tout vu, c'est tout entendu, c'est tout réfléchi… Allez-vous-en, et pi, que j'vous revoie point par ici. C'est-i permis d'vouloir prendre un éfant comme ça ! »

Alors, Mme d'Hubières, en sortant, s'avisa qu'ils étaient deux tout-petits, et elle demanda à travers ses larmes, avec une ténacité de femme volontaire et gâtée, qui ne veut jamais attendre :

---

1. **Rente :** revenu régulier. Un ouvrier agricole gagnait 700 F par an. Voir p. 205.
2. **Abomination :** une horreur contraire à la religion, le comble d'un mal.

SITUER

Mme d'Hubières est déjà venue régulièrement voir les enfants des Tuvache et des Vallin.

RÉFLÉCHIR

GENRES : une scène théâtrale

1. Où se déroule la scène ? À quel moment ? Quels sont les personnages présents ?

2. Quels déplacements marquent le début et la fin de la scène ? Cela correspond-il à la définition d'une scène dans le théâtre classique ?

3. Qu'est-ce qui remplit la fonction des didascalies* ? Relevez les indications de tons et de gestes. Ce passage pourrait-il être joué tel quel au théâtre ?

4. Comment les Hubières et les Tuvache sont-ils désignés par le narrateur ? Comment se désignent-ils entre eux ? Comment ces désignations reflètent-elles leur situation sociale ?

STRATÉGIES : chacun son rôle

5. Faites un tableau à neuf colonnes : personnage, attitude, ton, verbes introduisant les propos, types de phrases, vocabulaire utilisé, connecteurs logiques*, modes et temps, arguments. Rédigez en quelques lignes vos conclusions à partir de ce tableau.

6. Lisez maintenant la scène suivante avec les Vallin : quelle partie de la première scène est résumée dans la seconde ?

7. Qui commence la négociation dans chaque scène ? Pourquoi ?

8. Qu'est-ce qui a provoqué le refus des Tuvache mais entraîne l'adhésion des Vallin ?

ÉCRIRE

9. Après vous être documenté, rédigez un article informatif sur les conditions actuelles de l'adoption en France.

10. Vous voulez absolument obtenir de vos parents un cadeau exceptionnel. Comment vous y prenez-vous ? Développez vos arguments et écrivez la scène.

« Mais l'autre petit n'est pas à vous ? »

Le père Tuvache répondit :

« Non, c'est aux voisins ; vous pouvez y aller, si vous voulez. »

Et il rentra dans sa maison, où retentissait la voix indignée de sa femme.

Les Vallin étaient à table, en train de manger avec lenteur des tranches de pain qu'ils frottaient parcimonieusement[1] avec un peu de beurre piqué au couteau, dans une assiette entre eux deux.

M. d'Hubières recommença ses propositions, mais avec plus d'insinuations[2], de précautions oratoires[3], d'astuce.

Les deux ruraux hochaient la tête en signe de refus ; mais quand ils apprirent qu'ils auraient cent francs par mois, ils se considérèrent, se consultant de l'œil, très ébranlés.

Ils gardèrent longtemps le silence, torturés, hésitants. La femme enfin demanda :

« Qué qu't'en dis, l'homme ? »

Il prononça d'un ton sentencieux[4] :

« J'dis qu'c'est point méprisable. »

Alors Mme d'Hubières, qui tremblait d'angoisse, leur parla de l'avenir du petit, de son bonheur, et de tout l'argent qu'il pourrait leur donner plus tard.

Le paysan demanda :

« C'te rente de douze cents francs, ce s'ra promis d'vant l'notaire ? »

M. d'Hubières répondit :

« Mais certainement, dès demain. »

---

1. **Parcimonieusement :** en économisant sur la quantité.
2. **Insinuations :** sous-entendus.
3. **Précautions oratoires :** formules prudentes pour ne pas choquer.
4. **Sentencieux :** grave et pénétré.

La fermière, qui méditait, reprit :

« Cent francs par mois, c'est point suffisant pour nous priver du p'tit ; ça travaillera dans quéqu'z'ans c't'éfant ; i nous faut cent vingt francs. »

Mme d'Hubières, trépignant d'impatience, les accorda tout de suite ; et, comme elle voulait enlever l'enfant, elle donna cent francs en cadeau pendant que son mari faisait un écrit. Le maire et un voisin, appelés aussitôt, servirent de témoins complaisants[1].

Et la jeune femme, radieuse, emporta le marmot hurlant, comme on emporte un bibelot désiré d'un magasin.

Les Tuvache, sur leur porte, le regardaient partir, muets, sévères, regrettant peut-être leur refus.

On n'entendit plus du tout parler du petit Jean Vallin. Les parents, chaque mois, allaient toucher leurs cent vingt francs chez le notaire ; et ils étaient fâchés avec leurs voisins parce que la mère Tuvache les agonisait[2] d'ignominies, répétant sans cesse de porte en porte qu'il fallait être dénaturé[3] pour vendre son enfant, que c'était une horreur, une saleté, une corromperie[4].

Et parfois elle prenait en ses bras son Charlot avec ostentation[5], lui criant, comme s'il eût compris :

« J'tai pas vendu, mé, j't'ai pas vendu, mon p'tiot. J'vends pas m's éfants, mé. J'sieus pas riche, mais vends pas m's'éfants. »

---

1. **Complaisants :** qui ne se font pas prier (souvent péjoratif).
2. **Agonisait d'ignominies :** couvrait d'insultes.
3. **Dénaturé :** qui a renié sa nature, qui a abandonné son devoir de parent.
4. **Corromperie :** corruption, pourriture (par déformation populaire).
5. **Avec ostentation :** en le montrant avec insistance.

Et, pendant des années et encore des années, ce fut ainsi chaque jour ; chaque jour des allusions grossières qui étaient vociférées[1] devant la porte, de façon à entrer dans la maison voisine. La mère Tuvache avait fini par se croire supérieure à toute la contrée parce qu'elle n'avait pas vendu Charlot. Et ceux qui parlaient d'elle disaient :

« J'sais ben que c'était engageant[2] ; c'est égal, elle s'a conduite comme une bonne mère. »

On la citait ; et Charlot, qui prenait dix-huit ans, élevé dans cette idée qu'on lui répétait sans répit, se jugeait lui-même supérieur à ses camarades, parce qu'on ne l'avait pas vendu.

Les Vallin vivotaient[3] à leur aise, grâce à la pension. Leur fils aîné partit au service, le second mourut.

La fureur inapaisable des Tuvache, restés misérables, venait de là. Charlot resta seul à peiner avec le vieux père pour nourrir la mère et deux autres sœurs cadettes qu'il avait.

Il prenait vingt et un ans, quand, un matin, une brillante voiture s'arrêta devant les deux chaumières. Un jeune monsieur, avec une chaîne de montre en or, descendit, donnant la main à une vieille dame en cheveux blancs. La vieille dame lui dit :

« C'est là, mon enfant, à la seconde maison. »

Et il entra comme chez lui dans la masure des Vallin.

La vieille mère lavait ses tabliers ; le père, infirme, sommeillait près de l'âtre[4]. Tous deux levèrent la tête, et le jeune homme dit : « Bonjour, papa ; bonjour, maman. »

1. **Vociférées :** criées avec force et colère.
2. **Engageant :** tentant.
3. **Vivoter :** vivre avec de petits moyens.
4. **Âtre :** foyer, cheminée.

Ils se dressèrent effarés. La paysanne laissa tomber d'émoi son savon dans son eau et balbutia :

« C'est-i té, m'n éfant ? C'est-i té, m'n éfant ? »

Il la prit dans ses bras et l'embrassa, en répétant : « Bonjour, maman. » Tandis que le vieux, tout tremblant, disait, de son ton calme qu'il ne perdait jamais : « Te v'là-t'il revenu, Jean ? » Comme s'il l'avait vu un mois auparavant.

Et, quand ils se furent reconnus[1], les parents voulurent tout de suite sortir le fieu[2] dans le pays pour le montrer. On le conduisit chez le maire, chez l'adjoint, chez le curé, chez l'instituteur.

Charlot, debout sur le seuil de sa chaumière, le regardait passer.

Le soir au souper, il dit aux vieux :

« Faut-il qu'vous ayez été sots pour laisser prendre le p'tit aux Vallin ! »

Sa mère répondit obstinément :

« J'voulions point vendre not'éfant. »

Le père ne disait rien.

Le fils reprit :

« C'est-il pas malheureux d'être sacrifié comme ça. »

Alors le père Tuvache articula d'un ton coléreux :

« Vas-tu pas nous r'procher d' t'avoir gardé ? »

Et le jeune homme, brutalement :

« Oui, j'vous le reproche, que vous n'êtes que des niants[3]. Des parents comme vous ça fait l'malheur des éfants. Qu'vous mériteriez que j'vous quitte. »

La bonne femme pleurait dans son assiette. Elle gémit tout en avalant des cuillerées de soupe dont elle répandait la moitié :

« Tuez-vous donc pour élever d's éfants ! »

---

1. **Reconnus :** retrouvés.
2. **Fieu :** fils (dialecte normand). Voir p. 239.
3. **Niants :** des néants, des riens du tout, des propres à rien. Voir p. 239.

Alors le gars, rudement :

« J'aimerais mieux n'être point né que d'être c' que j'suis. Quand j'ai vu l'autre, tantôt, mon sang n'a fait qu'un tour. Je m'suis dit : – v'là c'que j'serais maintenant. »

Il se leva.

« Tenez, j'sens bien que je ferai mieux de n'pas rester ici, parce que j'vous le reprocherais du matin au soir, et que j'vous ferais une vie d'misère. Ça, voyez-vous, j'vous l'pardonnerai jamais ! »

Les deux vieux se taisaient, atterrés[1], larmoyants.

Il reprit :

« Non, c't'idée-là, ce serait trop dur. J'aime mieux m'en aller chercher ma vie aut'part. »

Il ouvrit la porte. Un bruit de voix entra. Les Vallin festoyaient[2] avec l'enfant revenu.

Alors Charlot tapa du pied et, se tournant vers ses parents, cria :

« Manants[3], va ! »

Et il disparut dans la nuit.

(31 octobre 1882)

1. **Atterrés :** stupéfaits et consternés.
2. **Festoyer :** faire un festin, un bon repas de fête.
3. **Manant :** à l'origine, un paysan au Moyen Âge. Au XIXe siècle, insulte : homme grossier. Ici : paysan grossier.

PERSONNAGES : une enfant gâtée

Maupassant évoque ici une femme qui ne peut pas avoir d'enfants, sans jamais porter de jugement explicite. La situation pourrait être pathétique…

1. Relevez les comparaisons concernant Mme d'Hubières, puis ce qui dans ses paroles et son comportement renforce son côté puéril.

2. Quand a-t-on l'impression d'être devant une vitrine de magasin ? Mme d'Hubières se soucie-t-elle des prix ?

3. Justifiez la place et l'isolement de la phrase : « Elle s'appelait Mme Henri d'Hubières » (l. 65).

4. Quelles expressions font de Mme d'Hubières à la fois une bonne fée et une ogresse ?

5. À quel moment du récit l'illustration p. 91 correspond-elle ? Quel est le nom de l'enfant assis à gauche de l'image ?

SOCIÉTÉ : la valeur des enfants

La misère, les sentiments, le commerce, les liens du sang… Le récit de Maupassant dresse le tableau sombre d'une société où l'argent pèse fort sur les relation humaines.

6. Comment la répartition garçons/filles introduit-elle une inégalité entre les deux familles ?

7. Pourquoi le prix proposé par les Hubières est-il considéré comme « engageant » ? Pourquoi la mère de Jean majore-t-elle le prix ?

8. Comment la valeur de Charlot évolue-t-elle ? Quel rôle dépréciatif joue le retour de Jean ? Comment leurs noms respectifs annonçaient-ils leur destin ?

9. La situation finale* : qui gagne ? Qui perd ? À quel type de récit fait penser la transformation de Jean Vallin ?

THÈMES : les étapes d'une expérience réussie

La manière dont Maupassant met en scène la situation ébranle bien des idées reçues.

10. Les conditions de l'expérience : combien de fois le nombre « deux » est-il répété au début du texte et pourquoi ?

11. Le matériel expérimental : relevez tous les procédés qui présentent les deux familles comme une masse indistincte. Même travail sur l'illustration page 91.

12. Les hypothèses : qui les formule ? Quel est le résultat de l'expérience ? Que tend-il à prouver ?
La validation de l'expérience : pendant les différentes étapes, quels ont été les témoins ?
13. Jean n'est pas le « coup de foudre » de Mme d'Hubières mais un « second choix » : en quoi cela confirme-t-il d'autant plus la valeur de l'expérience ?

DIRE

14. Changement de point de vue, récit et dialogue argumentatif : quand Jean atteint ses quinze ans, M. et Mme d'Hubières lui révèlent ses origines, lui racontent les circonstances de son adoption et se justifient.

ÉCRIRE

15. Question d'ensemble : la langue et le milieu social dans les nouvelles de Maupassant.
16. Utilisez cette nouvelle, le conte de Voltaire *Jeannot et Colin* (p. 217), et d'autres sources de votre choix pour argumenter sur l'égalité ou l'inégalité des chances.

Vue du pont de l'Alma à la fin du XIXe siècle.

Le père

Comme il habitait les Batignolles[1], étant employé au ministère de l'Instruction publique, il prenait chaque matin l'omnibus[2], pour se rendre à son bureau. Et chaque matin il voyageait jusqu'au centre de Paris, en face d'une jeune fille dont il devint amoureux.

Elle allait à son magasin, tous les jours, à la même heure. C'était une petite brunette, de ces brunes dont les yeux sont si noirs qu'ils ont l'air de taches, et dont le teint a des reflets d'ivoire. Il la voyait apparaître toujours au coin de la même rue ; et elle se mettait à courir pour rattraper la lourde voiture. Elle courait d'un petit air pressé, souple et gracieux ; et elle sautait sur le marchepied avant que les chevaux fussent tout à fait arrêtés. Puis elle pénétrait dans l'intérieur en soufflant un peu, et, s'étant assise, jetait un regard autour d'elle.

La première fois qu'il la vit, François Tessier sentit que cette figure-là lui plaisait infiniment. On rencontre parfois de ces femmes qu'on a envie de serrer éperdument dans ses bras, tout de suite, sans les connaître. Elle répondait, cette jeune fille, à ses désirs intimes, à ses attentes secrètes, à cette sorte d'idéal d'amour qu'on porte, sans le savoir, au fond du cœur.

Il la regardait obstinément, malgré lui. Gênée par cette contemplation, elle rougit. Il s'en aperçut et voulut détourner les yeux ; mais il les ramenait à tout moment sur elle, quoiqu'il s'efforçât de les fixer ailleurs.

Au bout de quelques jours, ils se connurent sans s'être parlé. Il lui cédait sa place quand la voiture était pleine et montait sur l'impériale[3], bien que cela le

1. Quartier situé au nord-ouest de Paris.
2. **Omnibus :** autobus à deux étages, tiré par des chevaux.
3. **Impériale :** étage supérieur de l'omnibus.

désolât. Elle le saluait maintenant d'un petit sourire ; et, quoiqu'elle baissât toujours les yeux sous son regard qu'elle sentait trop vif, elle ne semblait plus fâchée d'être contemplée ainsi.

Ils finirent par causer. Une sorte d'intimité rapide s'établit entre eux, une intimité d'une demi-heure par jour. Et c'était là, certes, la plus charmante demi-heure de sa vie à lui. Il pensait à elle tout le reste du temps, la revoyait sans cesse pendant les longues séances du bureau, hanté, possédé, envahi par cette image flottante et tenace[1] qu'un visage de femme aimée laisse en nous. Il lui semblait que la possession entière de cette petite personne serait pour lui un bonheur fou, presque au-dessus des réalisations humaines.

Chaque matin maintenant elle lui donnait une poignée de main, et il gardait jusqu'au soir la sensation de ce contact, le souvenir dans sa chair de la faible pression de ces petits doigts ; il lui semblait qu'il en avait conservé l'empreinte sur sa peau.

Il attendait anxieusement pendant tout le reste du temps ce court voyage en omnibus. Et les dimanches lui semblaient navrants.

Elle aussi l'aimait, sans doute, car elle accepta, un samedi de printemps, d'aller déjeuner avec lui, à Maisons-Laffitte[2], le lendemain.

Elle était la première à l'attendre à la gare. Il fut surpris ; mais elle lui dit :

1. **Tenace :** persistante.
2. Localité située au bord de la Seine en région parisienne (dans l'actuel département des Yvelines).

« Avant de partir, j'ai à vous parler. Nous avons vingt minutes : c'est plus qu'il ne faut. »

Elle tremblait, appuyée à son bras, les yeux baissés et les joues pâles. Elle reprit :

« Il ne faut pas que vous vous trompiez sur moi. Je suis une honnête fille, et je n'irai là-bas avec vous que si vous me promettez, si vous me jurez de ne rien… de ne rien faire… qui soit… qui ne soit pas… convenable… »

Elle était devenue soudain plus rouge qu'un coquelicot. Elle se tut. Il ne savait que répondre, heureux et désappointé en même temps. Au fond du cœur, il préférait peut-être que ce fût ainsi ; et pourtant… pourtant il s'était laissé bercer, cette nuit, par des rêves qui lui avaient mis le feu dans les veines. Il l'aimerait moins assurément s'il la savait de conduite légère[1] ; mais alors ce serait si charmant, si délicieux pour lui ! Et tous les calculs égoïstes des hommes en matière d'amour lui travaillaient l'esprit.

Comme il ne disait rien, elle se remit à parler à voix émue, avec des larmes au coin des paupières :

« Si vous ne me promettez pas de me respecter[2] tout à fait, je m'en retourne à la maison. »

Il lui serra le bras tendrement et répondit :

« Je vous le promets ; vous ne ferez que ce que vous voudrez. »

Elle parut soulagée et demanda en souriant :

« C'est bien vrai, ça ? »

Il la regarda au fond des yeux.

« Je vous le jure !

– Prenons les billets », dit-elle.

1. **Conduite légère :** conduite d'une fille facile.
2. **Me respecter :** ne pas me toucher.

Ils ne purent guère parler en route, le wagon étant au complet.

Arrivés à Maisons-Laffitte, ils se dirigèrent vers la Seine.

L'air tiède amollissait la chair et l'âme. Le soleil tombant en plein sur le fleuve, sur les feuilles et les gazons, jetait mille reflets de gaieté dans les corps et dans les esprits. Ils allaient, la main dans la main, le long de la berge, en regardant les petits poissons qui glissaient, par troupes, entre deux eaux. Ils allaient, inondés de bonheur, comme soulevés de terre dans une félicité[1] éperdue.

Elle dit enfin :

« Comme vous devez me trouver folle. »

Il demanda :

« Pourquoi ça ? »

Elle reprit :

« N'est-ce pas une folie de venir comme ça toute seule avec vous ?

– Mais non ! c'est bien naturel.

– Non ! non ! ce n'est pas naturel – pour moi, – parce que je ne veux pas fauter[2], – et c'est comme ça qu'on faute, cependant. Mais si vous saviez ! c'est si triste, tous les jours, la même chose, tous les jours du mois et tous les mois de l'année. Je suis toute seule avec maman. Et comme elle a eu bien des chagrins, elle n'est pas gaie. Moi, je fais comme je peux. Je tâche de rire quand même ; mais je ne réussis pas toujours. C'est égal, c'est mal d'être venue. Vous ne m'en voudrez pas, au moins ? »

---

1. **Félicité éperdue :** bonheur extraordinaire.
2. **Fauter :** se laisser séduire, se donner.

Pour répondre, il l'embrassa vivement dans l'oreille. Mais elle se sépara de lui, d'un mouvement brusque ; et, fâchée soudain :

« Oh ! monsieur François ! après ce que vous m'avez juré. »

Et ils revinrent vers Maisons-Laffitte.

Ils déjeunèrent au Petit-Havre, maison basse, ensevelie sous quatre peupliers énormes, au bord de l'eau.

Le grand air, la chaleur, le petit vin blanc et le trouble de se sentir l'un près de l'autre les rendaient rouges, oppressés et silencieux.

Mais après le café une joie brusque les envahit, et, ayant traversé la Seine, ils repartirent le long de la rive, vers le village de La Frette[1].

Tout à coup il demanda :

« Comment vous appelez-vous ?

– Louise. »

Il répéta : « Louise » ; et il ne dit plus rien.

La rivière, décrivant une longue courbe, allait baigner au loin une rangée de maisons blanches qui se miraient dans l'eau, la tête en bas. La jeune fille cueillait des marguerites, faisait une grosse gerbe champêtre, et lui, il chantait à pleine bouche, gris[2] comme un jeune cheval qu'on vient de mettre à l'herbe.

À leur gauche, un coteau planté de vignes suivait la rivière. Mais François soudain s'arrêta et demeura immobile d'étonnement :

« Oh ! regardez », dit-il.

Les vignes avaient cessé, et toute la côte maintenant était couverte de lilas en fleurs. C'était un bois violet !

1. Localité au bord de la Seine (dans l'actuel département du Val-d'Oise).
2. **Gris :** légèrement ivre.

une sorte de grand tapis étendu sur la terre, allant jusqu'au village, là-bas, à deux ou trois kilomètres.

Elle restait aussi saisie, émue. Elle murmura :

« Oh ! que c'est joli ! »

Et, traversant un champ, ils allèrent, en courant, vers cette étrange colline, qui fournit, chaque année, tous les lilas traînés, à travers Paris, dans les petites voitures des marchandes ambulantes.

Un étroit sentier se perdait sous les arbustes. Ils le prirent et, ayant rencontré une petite clairière, ils s'assirent.

Des légions de mouches bourdonnaient au-dessus d'eux, jetaient dans l'air un ronflement doux et continu. Et le soleil, le grand soleil d'un jour sans brise, s'abattait sur le long coteau épanoui, faisait sortir de ce bois de bouquets un arôme puissant, un immense souffle de parfums, cette sueur des fleurs.

Une cloche d'église sonnait au loin.

Et, tout doucement, ils s'embrassèrent, puis s'étreignirent, étendus sur l'herbe, sans conscience de rien que de leur baiser. Elle avait fermé les yeux et le tenait à pleins bras, le serrant éperdument, sans une pensée, la raison perdue, engourdie de la tête aux pieds dans une attente passionnée. Et elle se donna tout entière sans savoir ce qu'elle faisait, sans comprendre même qu'elle s'était livrée à lui.

Elle se réveilla dans l'affolement des grands malheurs et elle se mit à pleurer, gémissant de douleur, la figure cachée sous ses mains.

Il essayait de la consoler. Mais elle voulut repartir, revenir, rentrer tout de suite. Elle répétait sans cesse, en marchant à grands pas :

« Mon Dieu ! mon Dieu ! »

Il lui disait :

« Louise ! Louise ! restons, je vous en prie. »

SITUER

François Tessier a invité la jeune employée rencontrée dans l'omnibus à passer une journée à Maisons-Laffitte.

RÉFLÉCHIR

PERSONNAGES : acteurs ou victimes de l'histoire ?

1. Quels détails dans le passage renseignent sur le moment de la journée et la saison ?

2. Tracez approximativement l'itinéraire du couple. Qu'est-ce qui le détourne de la destination prévue ? Qui prend l'initiative ?

3. Relevez exactement les paroles prononcées pendant la promenade. Qu'en concluez-vous ?

4. Relevez et expliquez les comparaisons et les métaphores*.

THÈMES : nature et sensualité

5. Présentez sous forme de tableau les moments successifs du texte en indiquant chaque fois les éléments naturels ; les sentiments des personnages ; leurs sensations ; leurs actions. Que remarquez-vous ?

6. À partir de vos réponses aux questions 3 et 5, vous définirez le type de relation amoureuse entre les deux personnages.

7. Quel procédé de style, dans le dernier paragraphe, souligne la « perte de raison » ?

8. Dans les lignes 160 à 174, relevez les éléments concrets (sons, odeurs, sensations) qui contribuent à cet abandon.

STRATÉGIES : les pièges de la nature

9. Relevez les mots qui indiquent un écrasement ou un mouvement vers le bas. Qu'est-ce qui est ainsi suggéré ?

10. Que peut symboliser la cloche d'église ?

11. Quel sens donnez-vous au verbe qui suit immédiatement le passage ?

ÉCRIRE

12. Vous ferez un commentaire organisé de ce texte.

13. Faites une recherche documentaire sur les bords de Seine et les peintres impressionnistes (voir p. 5 et 189, musées d'Orsay, d'Auvers-sur-Oise, Marmottan).

Elle avait maintenant les pommettes rouges et les yeux caves[1]. Dès qu'ils furent dans la gare de Paris, elle le quitta sans même lui dire adieu.

*
**

Quand il la rencontra le lendemain, dans l'omnibus, elle lui parut changée, amaigrie. Elle lui dit :

« Il faut que je vous parle ; nous allons descendre au boulevard. »

Dès qu'ils furent seuls sur le trottoir :

« Il faut nous dire adieu, dit-elle. Je ne peux pas vous revoir après ce qui s'est passé. »

Il balbutia :

« Mais, pourquoi ?

– Parce que je ne peux pas. J'ai été coupable. Je ne le serai plus. »

Alors il l'implora, la supplia, torturé de désirs, affolé du besoin de l'avoir tout entière, dans l'abandon absolu des nuits d'amour.

Elle répondait obstinément :

« Non, je ne peux pas. Non, je ne veux pas. »

Mais il s'animait, s'excitait davantage. Il promit de l'épouser. Elle dit encore :

« Non. »

Et le quitta.

Pendant huit jours, il ne la vit plus. Il ne la put rencontrer, et, comme il ne savait point son adresse, il la croyait perdue pour toujours.

Le neuvième, au soir, on sonna chez lui. Il alla ouvrir. C'était elle. Elle se jeta dans ses bras, et ne résista plus.

---

1. **Caves :** comme creusés par le chagrin, cernés.

Pendant trois mois, elle fut sa maîtresse. Il commençait à se lasser d'elle, quand elle lui apprit qu'elle était grosse[1]. Alors, il n'eut plus qu'une idée en tête : rompre à tout prix.

Comme il n'y pouvait parvenir, ne sachant s'y prendre, ne sachant que dire, affolé d'inquiétudes, avec la peur de cet enfant qui grandissait, il prit un parti suprême. Il déménagea, une nuit, et disparut.

Le coup fut si rude qu'elle ne chercha pas celui qui l'avait ainsi abandonnée. Elle se jeta aux genoux de sa mère en lui confessant[2] son malheur ; et, quelques mois plus tard, elle accoucha d'un garçon.

*
**

Des années s'écoulèrent. François Tessier vieillissait sans qu'aucun changement se fît en sa vie. Il menait l'existence monotone et morne des bureaucrates, sans espoirs et sans attentes. Chaque jour, il se levait à la même heure, suivait les mêmes rues, passait par la même porte devant le même concierge, entrait dans le même bureau, s'asseyait sur le même siège, et accomplissait la même besogne. Il était seul au monde, seul, le jour, au milieu de ses collègues indifférents, seul, la nuit, dans son logement de garçon[3]. Il économisait cent francs par mois pour la vieillesse.

Chaque dimanche, il faisait un tour aux Champs-Élysées, afin de regarder passer le monde élégant, les équipages et les jolies femmes.

Il disait, le lendemain, à son compagnon de peine :

« Le retour du Bois était fort brillant, hier. »

---

1. **Grosse :** enceinte.
2. **Confessant :** avouant.
3. **Garçon :** célibataire.

Or, un dimanche, par hasard, ayant suivi des rues nouvelles, il entra au parc Monceau[1]. C'était par un clair matin d'été.

Les bonnes et les mamans, assises le long des allées, regardaient les enfants jouer devant elles.

Mais soudain François Tessier frissonna. Une femme passait, tenant par la main deux enfants : un petit garçon d'environ dix ans, et une petite fille de quatre ans. C'était elle.

Il fit encore une centaine de pas, puis s'affaissa sur une chaise, suffoqué par l'émotion. Elle ne l'avait pas reconnu. Alors il revint, cherchant à la voir encore. Elle s'était assise, maintenant. Le garçon demeurait très sage, à son côté, tandis que la fillette faisait des pâtés de terre. C'était elle, c'était bien elle. Elle avait un air sérieux de dame, une toilette simple, une allure assurée et digne.

Il la regardait de loin, n'osant pas approcher. Le petit garçon leva la tête. François Tessier se sentit trembler. C'était son fils, sans doute. Et il le considéra, et il crut se reconnaître lui-même tel qu'il était sur une photographie faite autrefois.

Et il demeura caché derrière un arbre, attendant qu'elle s'en allât, pour la suivre.

Il n'en dormit pas la nuit suivante. L'idée de l'enfant surtout le harcelait. Son fils ! Oh ! s'il avait pu savoir, être sûr ? Mais qu'aurait-il fait ?

Il avait vu sa maison ; il s'informa. Il apprit qu'elle avait été épousée par un voisin, un honnête homme de mœurs graves[2], touché par sa détresse. Cet homme, sachant la faute et la pardonnant, avait même reconnu l'enfant, son enfant à lui, François Tessier.

---

1. Grand jardin public au nord-ouest de Paris.
2. **De mœurs graves :** à la conduite sérieuse et austère.

Il revint au parc Monceau chaque dimanche. Chaque dimanche il la voyait, et chaque fois une envie folle, irrésistible, l'envahissait, de prendre son fils dans ses bras, de le couvrir de baisers, de l'emporter, de le voler.

Il souffrait affreusement dans son isolement misérable de vieux garçon sans affections ; il souffrait une torture atroce, déchiré par une tendresse paternelle faite de remords, d'envie, de jalousie, et de ce besoin d'aimer ses petits que la nature a mis aux entrailles des êtres.

Il voulut enfin faire une tentative désespérée, et, s'approchant d'elle, un jour, comme elle entrait au parc, il lui dit, planté au milieu du chemin, livide, les lèvres secouées de frissons :

« Vous ne me reconnaissez pas ? »

Elle leva les yeux, le regarda, poussa un cri d'effroi, un cri d'horreur, et, saisissant par les mains ses deux enfants, elle s'enfuit, en les traînant derrière elle.

Il rentra chez lui pour pleurer.

Des mois encore passèrent. Il ne la voyait plus. Mais il souffrait jour et nuit, rongé, dévoré par sa tendresse de père.

Pour embrasser son fils, il serait mort, il aurait tué, il aurait accompli toutes les besognes, bravé tous les dangers, tenté toutes les audaces.

Il lui écrivit à elle. Elle ne répondit pas. Après vingt lettres, il comprit qu'il ne devait point espérer la fléchir[1]. Alors il prit une résolution désespérée, et prêt à recevoir dans le cœur une balle de revolver s'il le fallait, il adressa à son mari un billet de quelques mots :

1. **Fléchir :** attendrir et faire céder.

« Monsieur,

» Mon nom doit être pour vous un sujet d'horreur. Mais je suis si misérable, si torturé par le chagrin, que je n'ai plus d'espoir qu'en vous.

» Je viens vous demander seulement un entretien de dix minutes.

» J'ai l'honneur, etc. »

Il reçut le lendemain la réponse :

« Monsieur,

» Je vous attends mardi à cinq heures. »

En gravissant l'escalier, François Tessier s'arrêtait de marche en marche, tant son cœur battait. C'était dans sa poitrine un bruit précipité, comme un galop de bête, un bruit sourd et violent. Et il ne respirait plus qu'avec effort, tenant la rampe pour ne pas tomber.

Au troisième étage, il sonna. Une bonne vint ouvrir. Il demanda :

« Monsieur Flamel.

– C'est ici. Monsieur. Entrez. »

Et il pénétra dans un salon bourgeois. Il était seul ; il attendit éperdu, comme au milieu d'une catastrophe. Une porte s'ouvrit. Un homme parut. Il était grand, grave, un peu gros, en redingote[1] noire. Il montra un siège de la main.

François Tessier s'assit, puis, d'une voix haletante :

1. **Redingote :** veste longue et cintrée.

« Monsieur… Monsieur… je ne sais pas si vous connaissez mon nom… si vous savez… »

M. Flamel l'interrompit :

« C'est inutile, Monsieur, je sais. Ma femme m'a parlé de vous. »

Il avait le ton digne d'un homme bon qui veut être sévère, et une majesté bourgeoise d'honnête homme. François Tessier reprit :

« Eh bien, Monsieur, voilà. Je meurs de chagrin, de remords, de honte. Et je voudrais une fois, rien qu'une fois, embrasser… l'enfant… »

M. Flamel se leva, s'approcha de la cheminée, sonna. La bonne parut. Il lui dit :

« Allez me chercher Louis. »

Elle sortit. Ils restèrent face à face, muets, n'ayant plus rien à se dire, attendant.

Et, tout à coup, un petit garçon de dix ans se précipita dans le salon, et courut à celui qu'il croyait son père. Mais il s'arrêta, confus, en apercevant un étranger.

M. Flamel le baisa sur le front, puis lui dit :

« Maintenant, embrasse Monsieur, mon chéri. »

Et l'enfant s'en vint gentiment, en regardant cet inconnu.

François Tessier s'était levé. Il laissa tomber son chapeau, prêt à choir[1] lui-même. Et il contemplait son fils.

M. Flamel, par délicatesse, s'était détourné, et il regardait par la fenêtre, dans la rue.

L'enfant attendait, tout surpris. Il ramassa le chapeau et le rendit à l'étranger. Alors François, saisissant le petit dans ses bras, se mit à l'embrasser folle-

1. **Choir :** tomber.

ment à travers tout son visage, sur les yeux, sur les joues, sur la bouche, sur les cheveux.

Le gamin, effaré par cette grêle de baisers, cherchait à les éviter, détournait la tête, écartait de ses petites mains les lèvres goulues[1] de cet homme.

Mais François Tessier, brusquement, le remit à terre. Il cria :

« Adieu ! adieu ! »

Et il s'enfuit comme un voleur.

(20 novembre 1883)

1. **Goulues :** avides, gloutonnes.

SOCIÉTÉ : deux itinéraires à la fin du XIXe siècle

1. a) Où cette histoire se déroule-t-elle ? Relevez les noms de lieux dans tout le texte. b) Quel est l'effet de réel* produit sur un lecteur actuel ? sur un lecteur du XIXe siècle ?

2. Observez la photographie page 102 et relevez tous les éléments permettant de dater la scène.

3. Quelles sont les professions de François et Louise au début de l'histoire ? À quel milieu social appartiennent-ils ?

4. Un employé sans espoir : quelle est la valeur des temps utilisés dans les lignes 225 à 240 ? Quel rôle jouent-ils dans le récit ?

5. Relevez également les répétitions de mots et de constructions. Qu'évoque le son qui revient régulièrement ?

6. Comparez la situation finale à la situation initiale pour François et Louise.

THÈMES : la paternité

7. « Il prit un parti suprême » (l. 219-220) : expliquez cette antiphrase* en vous aidant d'un dictionnaire.

8. Tessier éprouve-t-il un remords avant la rencontre au parc Monceau ? Quel détail lui fait reconnaître l'enfant comme son fils ? Au bout de combien de temps environ embrassera-t-il son fils ?

9. Dans la cinquième partie, en quoi les deux « pères » ont-ils des comportements opposés ?

10. La chute : « Et il s'enfuit comme un voleur » (l. 369). Comment comprenez-vous cette phrase ?

ÉCRIRE

11. Imaginez une suite immédiate à la dernière phrase du texte.

12. Lisez dans le début du roman de Zola, *Thérèse Raquin*, le passage de la promenade en barque précédant le crime. Étudiez comment la description peut contenir à l'avance le programme de l'action.

Le retour

La mer fouette la côte de sa vague courte et monotone. De petits nuages blancs passent vite à travers le grand ciel bleu, emportés par le vent rapide, comme des oiseaux ; et le village, dans le pli du vallon qui descend vers l'océan, se chauffe au soleil.

Tout à l'entrée, la maison des Martin-Lévesque, seule, au bord de la route. C'est une petite demeure de pêcheur, aux murs d'argile, au toit de chaume empanaché d'iris bleus. Un jardin large comme un mouchoir, où poussent des oignons, quelques choux, du persil, du cerfeuil, se carre devant la porte. Une haie le clôt le long du chemin.

L'homme est à la pêche, et la femme, devant la loge[1], répare les mailles d'un grand filet brun, tendu sur le mur ainsi qu'une immense toile d'araignée. Une fillette de quatorze ans, à l'entrée du jardin, assise sur une chaise de paille, penchée en arrière et appuyée du dos à la barrière, raccommode du linge, du linge de pauvre, rapiécé, reprisé déjà. Une autre gamine, plus jeune d'un an, berce dans ses bras un enfant tout petit, encore sans gestes et sans paroles ; et deux mioches de deux et trois ans, le derrière dans la terre, nez à nez, jardinent de leurs mains maladroites et se jettent des poignées de poussière dans la figure.

Personne ne parle. Seul le moutard qu'on essaie d'endormir pleure d'une façon continue, avec une petite voix aigre et frêle. Un chat dort sur la fenêtre ; et des giroflées épanouies font, au pied du mur, un beau bourrelet de fleurs blanches, sur qui bourdonne un peuple de mouches.

1. **Loge :** ici, petite maison.

SITUER

L'incipit de cette nouvelle décrit une famille de pêcheurs sur la côte normande.

RÉFLÉCHIR

STRUCTURE : une vision cinématographique

1. Donnez un sous-titre à chaque paragraphe et justifiez chaque passage à la ligne.

2. Relevez dans chaque paragraphe ce qui annonce le suivant.

3. À l'intérieur de chaque paragraphe, y a-t-il un ordre de la description ? Justifiez votre réponse.

4. Faites un découpage technique ou un scénarimage* très précis pour tout ce passage.

GENRES : une description efficace

5. Quels rôles jouent les déterminants définis dans les expressions : « le village », « dans le pli du vallon », « la maison », « la route » ?

6. Relevez toutes les indications de couleur. Quelles sont les dominantes ? Quelle ambiance contribuent-elles à créer ?

7. Quel est l'intérêt pour le lecteur de connaître le nom de la famille dès le début du texte ?

8. Quelle est la composition exacte de la famille ?

9. Le physique des personnages est-il décrit ? Par quoi ceux-ci sont-ils caractérisés ? Comment connaît-on leur profession, leur lieu de travail et leur milieu social ?

10. Relevez toutes les comparaisons, métaphores et personnifications*. Concernent-elles les personnages ou le paysage ? Qu'en déduisez-vous ?

ÉCRIRE

11. Une description : à partir de la photographie d'une scène ou d'un paysage de votre choix, écrivez une description ordonnée en vous inspirant des procédés utilisés dans le début de ce texte.

La fillette qui coud près de l'entrée appelle tout à coup :

« M'man ! »

La mère répond :

« Qué qu't'as ?[1]

– Le r'voilà. »

Elles sont inquiètes depuis le matin, parce qu'un homme rôde autour de la maison : un vieux homme[2] qui a l'air d'un pauvre. Elles l'ont aperçu comme elles allaient conduire le père à son bateau, pour l'embarquer. Il était assis sur le fossé, en face de leur porte. Puis, quand elles sont revenues de la plage, elles l'ont retrouvé là, qui regardait la maison.

Il semblait malade et très misérable. Il n'avait pas bougé pendant plus d'une heure ; puis, voyant qu'on le considérait comme un malfaiteur, il s'était levé et était parti en traînant la jambe.

Mais bientôt elles l'avaient vu revenir de son pas lent et fatigué ; et il s'était encore assis, un peu plus loin cette fois, comme pour les guetter.

La mère et les fillettes avaient peur. La mère surtout se tracassait parce qu'elle était d'un naturel craintif, et que son homme, Lévesque, ne devait revenir de la mer qu'à la nuit tombante.

Son mari s'appelait Lévesque ; elle, on la nommait Martin, et on les avait baptisés les Martin-Lévesque. Voici pourquoi : elle avait épousé en premières noces un matelot du nom de Martin, qui allait tous les étés à Terre-Neuve[3], à la pêche de la morue.

---

1. **Qué qu't'as :** qu'est-ce que tu as ? (déformation due au dialecte régional. Voir p. 239).
2. **Vieux homme :** vieil homme.
3. Grande île proche du Canada, vers laquelle s'embarquaient traditionnellement les marins normands pour pêcher la morue pendant plusieurs mois.

Après deux années de mariage, elle avait de lui une petite fille et elle était encore grosse[1] de six mois quand le bâtiment qui portait son mari, les *Deux-Sœurs*, un trois-mâts-barque de Dieppe, disparut.

On n'en eut jamais aucune nouvelle ; aucun des marins qui le montaient[2] ne revint ; on le considéra donc comme perdu corps et biens.

La Martin attendit son homme pendant dix ans, élevant à grand-peine ses deux enfants ; puis, comme elle était vaillante et bonne femme, un pêcheur du pays, Lévesque, veuf avec un garçon, la demanda en mariage. Elle l'épousa, et eut encore de lui deux enfants en trois ans.

Ils vivaient péniblement, laborieusement. Le pain était cher et la viande presque inconnue dans la demeure. On s'endettait parfois chez le boulanger, en hiver, pendant les mois de bourrasques. Les petits se portaient bien, cependant. On disait :

« C'est des braves gens, les Martin-Lévesque. La Martin est dure à la peine, et Lévesque n'a pas son pareil pour la pêche. »

La fillette assise à la barrière reprit :

« On dirait qu'y[3] nous connaît. C'est p't-être ben quéque pauvre d'Épreville[4] ou d'Auzebosc. »

Mais la mère ne s'y trompait pas. Non, non, ça n'était pas quelqu'un du pays, pour sûr !

1. **Grosse :** enceinte.
2. **Le montaient :** qui en constituaient l'équipage.
3. **Qu'y, ben, quéque :** qu'il, bien, quelque. Voir p. 239.
4. **Épreville :** localité proche de Fécamp (Seine-Maritime). – **Auzebosc :** localité proche d'Yvetot (Seine-Maritime).

Comme il ne remuait pas plus qu'un pieu, et qu'il fixait ses yeux avec obstination sur le logis des Martin-Lévesque, la Martin devint furieuse et, la peur la rendant brave, elle saisit une pelle et sortit devant la porte.

« Qué que vous faites là ? » cria-t-elle au vagabond.

Il répondit d'une voix enrouée :

« J'prends la fraîche, donc ! J'vous fais-ti tort ? »

Elle reprit :

« Pourqué qu'vous êtes quasiment en espionance devant ma maison ? »

L'homme répliqua :

« Je n'fais d'mal à personne. C'est-i point permis d's'asseoir sur la route ? »

Ne trouvant rien à répondre, elle rentra chez elle.

La journée s'écoula lentement. Vers midi, l'homme disparut. Mais il repassa vers cinq heures. On ne le vit plus dans la soirée.

Lévesque rentra à la nuit tombée. On lui dit la chose. Il conclut :

« C'est quéque fouineur[1] ou quéque malicieux[2]. »

Et il se coucha sans inquiétude, tandis que sa compagne songeait à ce rôdeur qui l'avait regardée avec des yeux si drôles.

Quand le jour vint, il faisait grand vent, et le matelot, voyant qu'il ne pourrait prendre la mer, aida sa femme à raccommoder ses filets.

Vers neuf heures, la fille aînée, une Martin, qui était allée chercher du pain, rentra en courant, la mine effarée, et cria :

« M'man, le r'voilà ! »

---

1. **Fouineur :** curieux et indiscret.
2. **Malicieux :** ici, qui a de mauvaises intentions.

La mère eut une émotion, et, toute pâle, dit à son homme :

« Va li parler, Lévesque, pour qu'il ne nous guette point comme ça, parce que, mé, ça me tourne les sens[1]. »

Et Lévesque, un grand matelot au teint de brique, à la barbe drue et rouge, à l'œil bleu percé d'un point noir, au cou fort, enveloppé toujours de laine, par crainte du vent et de la pluie au large, sortit tranquillement et s'approcha du rôdeur.

Et ils se mirent à parler.

La mère et les enfants les regardaient de loin, anxieux et frémissants.

Tout à coup, l'inconnu se leva et s'en vint, avec Lévesque, vers la maison.

La Martin, effarée, se reculait. Son homme lui dit :

« Donne li un p'tieu de pain et un verre de cidre. I n'a rien mâqué[2] depuis avant-hier. »

Et ils entrèrent tous deux dans le logis, suivis de la femme et des enfants. Le rôdeur s'assit et se mit à manger, la tête baissée sous tous les regards.

La mère, debout, le dévisageait ; les deux grandes filles, les Martin, adossées à la porte, l'une portant le dernier enfant, plantaient sur lui leurs yeux avides, et les deux mioches, assis dans les cendres de la cheminée, avaient cessé de jouer avec la marmite noire, comme pour contempler aussi cet étranger.

Lévesque, ayant pris une chaise, lui demanda :

« Alors vous v'nez de loin ?

– J'viens d'Cette[3].

– À pied, comme ça ?...

1. **Les sens :** les sangs (déformation populaire).
2. **Mâqué :** mâché, au sens de « mangé » (dialecte normand). Voir p. 239.
3. **Cette :** Sète (ancienne orthographe), dans le département actuel de l'Hérault.

– Oui, à pied. Quand on n'a pas les moyens, faut ben.

– Oùsque vous allez donc ?

– J'allais t'ici.

– Vous y connaissez quéqu'un ?

– Ça se peut ben. »

Ils se turent. Il mangeait lentement, bien qu'il fût affamé, et il buvait une gorgée de cidre après chaque bouchée de pain. Il avait un visage usé, ridé, creux partout, et semblait avoir beaucoup souffert.

Lévesque lui demanda brusquement :

« Comment que vous vous nommez ? »

Il répondit sans lever le nez :

« Je me nomme Martin. »

Un étrange frisson secoua la mère. Elle fit un pas, comme pour voir de plus près le vagabond, et demeura en face de lui, les bras pendants, la bouche ouverte. Personne ne disait plus rien. Lévesque enfin reprit :

« Êtes-vous d'ici ? »

Il répondit :

« J'suis d'ici. »

Et comme il levait enfin la tête, les yeux de la femme et les siens se rencontrèrent et demeurèrent fixes, mêlés, comme si les regards se fussent accrochés.

Et elle prononça tout à coup, d'une voix changée, basse, tremblante :

« C'est-i' té, mon homme ? »

Il articula lentement :

« Oui, c'est mé. »

Il ne remua pas, continuant à mâcher son pain.

Lévesque, plus surpris qu'ému, balbutia :

« C'est té, Martin ? »

L'autre dit simplement :

« Oui, c'est mè. »

Et le second mari demanda :

« D'où que tu d'viens donc ? »

Le premier raconta :

« D'la côte d'Afrique. J'ons[1] sombré sur un banc[2]. J'nous sommes ensauvés à trois, Picard, Vatinel et mé. Et pi j'avons été pris par des sauvages qui nous ont tenus douze ans. Picard et Vatinel sont morts. C'est un voyageur anglais qui m'a pris-t-en passant et qui m'a reconduit à Cette. Et me v'là. »

La Martin s'était mise à pleurer, la figure dans son tablier. Lévesque prononça :

« Qué que j'allons fé[3], à c't'heure ? »

Martin demanda :

« C'est té qu'es s'n[4] homme ? »

Lévesque répondit :

« Oui, c'est mé ! »

Ils se regardèrent et se turent.

Alors, Martin, considérant les enfants en cercle autour de lui, désigna d'un coup de tête les deux fillettes.

« C'est-i' les miennes ? »

Lévesque dit :

« C'est les tiennes. »

Il ne se leva point ; il ne les embrassa point ; il constata seulement :

« Bon Dieu, qu'a sont grandes ! »

Lévesque répéta :

« Qué que j'allons fé ? »

---

1. **J'ons :** j'avons. Voir p. 239.
2. **Banc :** haut-fond.
3. **Fé :** faire. Voir p. 239.
4. **S'n :** son. Voir p. 239.

Martin, perplexe, ne savait guère plus. Enfin il se décida :

« Moi, j'f'rai à ton désir. Je n'veux pas t'faire tort. C'est contrariant tout de même, vu la maison. J'ai deux éfants, tu n'as trois, chacun les siens. La mère, c'est-i à té, c'est-ti à mé ? J'suis consentant à ce qui te plaira ; mais la maison, c'est à mé, vu qu'mon père me l'a laissée, que j'y sieus né, et qu'elle a des papiers chez le notaire.

La Martin pleurait toujours, par petits sanglots cachés dans la toile bleue du tablier. Les deux grandes fillettes s'étaient rapprochées et regardaient leur père avec inquiétude.

Il avait fini de manger. Il dit à son tour :

« Qué que j'allons fé ? »

Lévesque eut une idée :

« Faut aller chez l'curé, i' décidera. »

Martin se leva, et comme il s'avançait vers sa femme, elle se jeta sur sa poitrine en sanglotant :

« Mon homme ! te v'là ! Martin, mon pauvre Martin, te v'là ! »

Et elle le tenait à pleins bras, traversée brusquement par un souffle d'autrefois, par une grande secousse de souvenirs qui lui rappelaient ses vingt ans et ses premières étreintes.

Martin, ému lui-même, l'embrassait sur son bonnet. Les deux enfants, dans la cheminée, se mirent à hurler ensemble en entendant pleurer leur mère, et le dernier-né, dans les bras de la seconde des Martin, clama d'une voix aiguë comme un fifre[1] faux.

Lévesque, debout, attendait :

« Allons, dit-il, faut se mettre en règle. »

1. **Fifre :** petite flûte au son aigu.

Martin lâcha sa femme, et, comme il regardait ses deux filles, la mère leur dit :

« Baisez vot' pé[1], au moins. »

Elles s'approchèrent en même temps, l'œil sec, étonnées, un peu craintives. Et il les embrassa l'une après l'autre, sur les deux joues, d'un gros bécot[2] paysan. En voyant approcher cet inconnu, le petit enfant poussa des cris si perçants, qu'il faillit être pris de convulsions.

Puis les deux hommes sortirent ensemble.

Comme ils passaient devant le café du Commerce, Lévesque demanda :

« Si je prenions toujours une goutte[3] ?

– Moi, j'veux ben », déclara Martin.

Ils entrèrent, s'assirent dans la pièce encore vide et Lévesque cria :

« Eh ! Chicot, deux fil-en-six[4], de la bonne, c'est Martin qu'est r'venu, Martin, celui à ma femme, tu sais ben, Martin des *Deux-Sœurs*, qu'était perdu. »

Et le cabaretier, trois verres d'une main, un carafon de l'autre, s'approcha, ventru, sanguin, bouffi de graisse, et demanda d'un air tranquille :

« Tiens ! te v'là donc, Martin ? »

Martin répondit :

« Mé v'là !... »

(28 juillet 1884)

1. **Vot'pé :** votre père. Voir p. 239.
2. **Bécot :** baiser (familier).
3. **Goutte :** petit verre d'alcool fort.
4. **Fil-en-six :** eau-de-vie très forte. Chaque fil noué autour de la bouteille indiquait le degré d'alcool. La plus forte était le fil-en-dix.

STRUCTURE : ruptures et continuités

Le rapport entre l'ordre des événements et l'ordre du récit est un moyen essentiel pour soutenir l'intérêt du lecteur.

1. Quelles sont les trois rétrospectives présentes dans le récit ? À quoi sert chacune d'elles ?

2. Quelle est la durée des événements à partir de la première apparition de Martin ?

3. Représentez en parallèle les vies de Martin et de sa femme.

SOCIÉTÉ : la pauvreté

La dure vie des marins est évoquée ici dans un de ses drames. Mais la misère marque aussi les relations entre les personnages.

4. Relevez parmi les paroles prononcées celles qui traduisent des émotions. Sont-elles nombreuses ? expressives ? Qu'en concluez-vous ?

5. Qui pose le premier la question de l'avenir ? Qui propose des solutions ? À qui demande-t-on conseil ? Chez qui les deux hommes s'arrêtent-ils ? La femme est-elle consultée ?

6. Les enfants ont-ils des prénoms ? Sont-ils individualisés ?

7. Énumérez les activités des filles. Quel rôle jouent-elles dans la famille ?

8. Relevez les expressions désignant les trois autres enfants. Quelle image donnent-elles de la petite enfance ?

9. Des liens affectifs entre les parents et les enfants sont-ils exprimés ? Pourquoi ?

THÈMES : le retour

La sobriété de la narration fait ici écho à la parole des personnages. La sensibilité en est-elle pour autant absente ?

10. Combien de fois Martin revient-il près de sa maison avant d'y entrer ? Pourquoi ces hésitations ?

11. Repérez les sorties et les entrées des personnages dans la maison. Qui fait entrer Martin ? Qui le fait sortir ? Que concluez-vous sur ces franchissements du seuil de la porte ?

12. Relevez, dans les paroles rapportées au discours direct, les questions et les réponses répétées. Sur quoi portent-elles ?

13. Quel est l'effet produit par la reprise des termes des questions dans les réponses ?
14. « Le r'voilà », « Me v'là », « Te v'là » : relevez les répétitions de ces tournures au fil du texte. Que révèlent ces reprises ?

ÉCRIRE

15. À partir de l'étude de ce texte, rédigez un commentaire où vous montrerez comment la structure et l'écriture du texte répètent le titre.
16. Expression poétique et/ou plastique : choisissez un thème ou une idée. Réalisez une affiche dont le contenu et la forme répéteront ce thème ou cette idée.
17. Un dossier : recherchez des exemples de retour dans la littérature et le cinéma (par exemple *Le Colonel Chabert*, *Le Retour de Martin Guerre*, etc.) ainsi que dans l'actualité. Comparez-les.

Portrait de M. Louis Pascal, peinture de Henri de Toulouse-Lautrec, 1893.
(Musée Toulouse-Lautrec, Albi.)

Duchoux

En descendant le grand escalier du cercle[1] chauffé comme une serre par le calorifère[2], le baron de Mordiane avait laissé ouverte sa fourrure ; aussi, lorsque la grande porte de la rue se fut refermée sur lui, éprouva-t-il un frisson de froid profond, un de ces frissons brusques et pénibles qui rendent triste comme un chagrin. Il avait perdu quelque argent, d'ailleurs, et son estomac, depuis quelque temps, le faisait souffrir, ne lui permettait plus de manger à son gré.

Il allait chez lui, et soudain la pensée de son grand appartement vide, du valet de pied dormant dans l'antichambre[3], du cabinet[4] où l'eau tiédie pour la toilette du soir chantait doucement sur le réchaud à gaz, du lit large, antique et solennel comme une couche mortuaire, lui fit entrer jusqu'au fond du cœur, jusqu'au fond de la chair, un autre froid plus douloureux encore que celui de l'air glacé.

Depuis quelques années il sentait s'appesantir sur lui ce poids de la solitude qui écrase quelquefois les vieux garçons. Jadis, il était fort, alerte et gai, donnant tous ses jours au sport et toutes ses nuits aux fêtes. Maintenant, il s'alourdissait et ne prenait plus plaisir à grand-chose. Les exercices le fatiguaient, les soupers et même les dîners lui faisaient mal, les femmes l'ennuyaient autant qu'elles l'avaient autrefois amusé.

La monotonie des soirs pareils, des mêmes amis retrouvés au même lieu, au cercle, de la même partie

---

1. **Cercle :** lieu de loisirs mondain, sorte de club fréquenté par une clientèle sélectionnée.
2. **Calorifère :** appareil de chauffage.
3. **Antichambre :** vestibule.
4. **Du cabinet :** de toilette.

avec des chances et des déveines balancées[1], des mêmes propos sur les mêmes choses, du même esprit dans les mêmes bouches, des plaisanteries sur les mêmes sujets, des mêmes médisances sur les mêmes femmes, l'écœurait au point de lui donner, par moments, de véritables désirs de suicide. Il ne pouvait plus mener cette vie régulière et vide, si banale, si légère et si lourde en même temps, et il désirait quelque chose de tranquille, de reposant, de confortable, sans savoir quoi.

Certes, il ne songeait pas à se marier, car il ne se sentait pas le courage de se condamner à la mélancolie, à la servitude conjugale, à cette odieuse existence de deux êtres, qui, toujours ensemble, se connaissaient jusqu'à ne plus dire un mot qui ne soit prévu par l'autre, à ne plus faire un geste qui ne soit attendu, à ne plus avoir une pensée, un désir, un jugement qui ne soient devinés. Il estimait qu'une personne ne peut être agréable à voir encore que lorsqu'on la connaît peu, lorsqu'il reste en elle du mystère, de l'inexploré, lorsqu'elle demeure un peu inquiétante et voilée. Donc il lui aurait fallu une famille qui n'en fût pas une, où il aurait pu passer seulement une partie de sa vie ; et, de nouveau, le souvenir de son fils le hanta.

Depuis un an, il y songeait sans cesse, sentant croître en lui l'envie irritante de le voir, de le connaître. Il l'avait eu dans sa jeunesse, au milieu de circonstances dramatiques et tendres. L'enfant, envoyé dans le Midi, avait été élevé près de Marseille, sans jamais connaître le nom de son père.

Celui-ci avait payé d'abord les mois de nourrice, puis les mois de collège, puis les mois de fête, puis la

1. **Balancées :** alternées ; ses gains et ses pertes au jeu s'équilibrent.

SITUER

Le baron de Mordiane trouve son existence bien monotone.

RÉFLÉCHIR

GENRES : le récit et son rythme : l'incipit d'une nouvelle

1. Relevez toutes les informations données au lecteur sur l'âge, la situation sociale et familiale, et les activités du baron.
2. Comparez les deux premiers paragraphes : a) Relevez les verbes au passé simple. Quelle valeur a l'emploi de ce temps ? b) Rapprochez les impressions ressenties par Mordiane quand il sort du cercle et quand il pense à son appartement.
3. Passé et présent : par quels moyens sont-ils opposés dans le troisième paragraphe ?
4. Étudiez, dans le quatrième paragraphe, les procédés utilisés pour mettre en relief la monotonie de la vie du baron.

THÈMES : un ennui mortel

5. Relevez les désignations explicites de la mort.
6. Recherchez dans le passage tout ce qui peut faire allusion à la mort.

REGISTRES ET TONALITÉS : pathétique* ou ironique*

7. Le baron est-il vraiment à plaindre ? Expliquez tous les aspects dérisoires de sa souffrance.
8. Qu'est-ce qui va déclencher l'action ?

ÉCRIRE

9. Vous ferez le portrait d'un de vos contemporains en vous inspirant des procédés d'écriture utilisés par Maupassant dans ce texte.
10. Vous rédigerez un commentaire en vous appuyant sur vos réponses aux questions précédentes.

dot pour un mariage raisonnable. Un notaire discret avait servi d'intermédiaire sans jamais rien révéler.

Le baron de Mordiane savait donc seulement qu'un enfant de son sang vivait quelque part, aux environs de Marseille, qu'il passait pour intelligent et bien élevé, qu'il avait épousé la fille d'un architecte entrepreneur, dont il avait pris la suite. Il passait aussi pour gagner beaucoup d'argent.

Pourquoi n'irait-il pas voir ce fils inconnu, sans se nommer, pour l'étudier d'abord et s'assurer qu'il pourrait au besoin trouver un refuge agréable dans cette famille ?

Il avait fait grandement les choses, donné une belle dot acceptée avec reconnaissance. Il était donc certain de ne pas se heurter contre un orgueil excessif ; et cette pensée, ce désir, reparus tous les jours, de partir pour le Midi, devenaient en lui irritants comme une démangeaison. Un bizarre attendrissement d'égoïste le sollicitait aussi, à l'idée de cette maison riante et chaude, au bord de la mer, où il trouverait sa belle-fille jeune et jolie, ses petits-enfants aux bras ouverts, et son fils qui lui rappellerait l'aventure charmante et courte des lointaines années. Il regrettait seulement d'avoir donné tant d'argent, et que cet argent eût prospéré[1] entre les mains du jeune homme, ce qui ne lui permettait plus de se présenter en bienfaiteur.

Il allait, songeant à tout cela, la tête enfoncée dans son col de fourrure ; et sa résolution fut prise brusquement. Un fiacre[2] passait ; il l'appela, se fit conduire chez lui ; et quand son valet de chambre, réveillé, eut ouvert la porte :

1. **Prospérer :** se multiplier.
2. **Fiacre :** voiture à cheval (taxi de l'époque).

– Louis, dit-il, nous partons demain soir pour Marseille. Nous y resterons peut-être une quinzaine de jours. Vous allez faire tous les préparatifs nécessaires.

Le train roulait, longeant le Rhône sablonneux, qui traversait des plaines jaunes, des villages clairs, un grand pays fermé au loin par des montagnes nues.

Le baron de Mordiane, réveillé après une nuit en sleeping[1], se regardait avec mélancolie dans la petite glace de son nécessaire[2]. Le jour cru du Midi lui montrait des rides qu'il ne se connaissait pas encore : un état de décrépitude[3] ignoré dans la demi-ombre des appartements parisiens.

Il pensait, en examinant le coin des yeux, les paupières fripées, les tempes, le front dégarnis : « Bigre[4], je ne suis pas seulement défraîchi. Je suis avancé[5]. »

Et son désir de repos grandit soudain, avec une vague envie, née en lui pour la première fois, de tenir sur ses genoux ses petits-enfants.

Vers une heure de l'après-midi, il arriva, dans un landau[6] loué à Marseille, devant une de ces maisons de campagne méridionales si blanches, au bout de leur avenue de platanes, qu'elles éblouissent et font baisser les yeux. Il souriait en suivant l'allée et pensait : « Bigre, c'est gentil ! »

Soudain, un galopin de cinq à six ans apparut, sortant d'un arbuste, et demeura debout au bord du chemin, regardant le monsieur avec ses yeux ronds.

---

1. **Sleeping :** wagon-lit.
2. **Nécessaire :** sac ou trousse pour les affaires de toilette.
3. **Décrépitude :** dégradation physique due au vieillissement.
4. **Bigre :** interjection, comme *diable* ou *bon sang*.
5. **Avancé :** se dit d'un poisson, d'une viande qui ne sont plus très frais.
6. **Landau :** voiture à cheval.

Mordiane s'approcha :

– Bonjour, mon garçon.

Le gamin ne répondit pas.

Le baron, alors, s'étant penché, le prit dans ses bras pour l'embrasser, puis, suffoqué par une odeur d'ail dont l'enfant tout entier semblait imprégné, il le remit brusquement à terre en murmurant :

– Oh ! c'est l'enfant du jardinier.

Et il marcha vers la demeure.

Le linge séchait sur une corde devant la porte, chemises, serviettes, torchons, tabliers et draps, tandis qu'une garniture de chaussettes alignées sur des ficelles superposées emplissait une fenêtre entière, pareille aux étalages de saucisses devant les boutiques de charcutiers.

Le baron appela.

Une servante apparut, vraie servante du Midi, sale et dépeignée, dont les cheveux, par mèches, lui tombaient sur la face, dont la jupe, sous l'accumulation des taches qui l'avaient assombrie, gardait de sa couleur ancienne quelque chose de tapageur[1], un air de foire champêtre et de robe de saltimbanque[2].

Il demanda :

– M. Duchoux est-il chez lui ?

Il avait donné, jadis, par plaisanterie de viveur sceptique[3], ce nom à l'enfant perdu afin qu'on n'ignorât point qu'il avait été trouvé sous un chou.

La servante répéta :

– Vous demandez M. Duchouxe ?

– Oui.

– Té[4], il est dans la salle, qui tire ses plans.

---

1. **Tapageur :** voyant et vulgaire.
2. **Saltimbanque :** artiste de cirque.
3. **Viveur sceptique :** fêtard qui ne croit en rien.
4. **Té :** interjection méridionale, équivalent de *eh bien* !

– Dites-lui que M. Merlin demande à lui parler.

Elle reprit, étonnée :

– Hé, donc, entrez, si vous voulez le voir.

Et elle cria :

– Mosieu Duchouxe, une visite !

Le baron entra, et, dans une grande salle, assombrie par les volets à moitié clos, il aperçut indistinctement des gens et des choses qui lui parurent malpropres.

Debout devant une table surchargée d'objets de toute sorte, un petit homme chauve traçait des lignes sur un large papier.

Il interrompit son travail et fit deux pas.

Son gilet ouvert, sa culotte déboutonnée, les poignets de sa chemise relevés indiquaient qu'il avait fort chaud, et il était chaussé de souliers boueux révélant qu'il avait plu quelques jours auparavant.

Il demanda, avec un fort accent méridional :

– À qui ai-je l'honneur ?...

– Monsieur Merlin... Je viens vous consulter pour un achat de terrain à bâtir.

– Ah ! ah ! très bien !

Et Duchoux, se tournant vers sa femme, qui tricotait dans l'ombre :

– Débarrasse une chaise, Joséphine.

Mordiane vit alors une femme jeune, qui semblait déjà vieille, comme on est vieux à vingt-cinq ans en province, faute de soins, de lavages répétés, de tous les petits soucis, de toutes les petites propretés, de toutes les petites attentions de la toilette féminine qui immobilisent la fraîcheur et conservent, jusqu'à près de cinquante ans, le charme et la beauté. Un fichu[1] sur les épaules, les cheveux noués à la diable, de beaux

1. **Fichu :** foulard, châle.

cheveux épais et noirs, mais qu'on devinait peu brossés, elle allongea vers une chaise des mains de bonne et enleva une robe d'enfant, un couteau, un bout de ficelle, un pot à fleurs vide et une assiette grasse demeurés sur le siège, qu'elle tendit ensuite au visiteur.

Il s'assit et s'aperçut alors que la table de travail de Duchoux portait, outre les livres et les papiers, deux salades fraîchement cueillies, une cuvette, une brosse à cheveux, une serviette, un revolver et plusieurs tasses non nettoyées.

L'architecte vit ce regard et dit en souriant :

– Excusez ! il y a un peu de désordre dans le salon ; ça tient aux enfants.

Et il approcha sa chaise pour causer avec le client.

– Donc, vous cherchez un terrain aux environs de Marseille ?

Son haleine, bien que venue de loin, apporta au baron ce souffle d'ail qu'exhalent les gens du Midi ainsi que des fleurs leur parfum.

Mordiane demanda :

– C'est votre fils que j'ai rencontré sous les platanes ?

– Oui. Oui, le second.

– Vous en avez deux ?

– Trois, monsieur, un par an.

Et Duchoux semblait plein d'orgueil.

Le baron pensait : « S'ils fleurent tous le même bouquet[1], leur chambre doit être une vraie serre. »

Il reprit :

– Oui, je voudrais un joli terrain près de la mer, sur une petite plage déserte…

1. **Fleurent le même bouquet :** répandent la même odeur.

Alors Duchoux s'expliqua. Il en avait dix, vingt, cinquante, cent et plus, de terrains dans ces conditions, à tous les prix, pour tous les goûts. Il parlait comme coule une fontaine, souriant, content de lui, remuant sa tête chauve et ronde.

Et Mordiane se rappelait une petite femme blonde, mince, un peu mélancolique et disant si tendrement : « Mon cher aimé » que le souvenir seul avivait le sang de ses veines. Elle l'avait aimé avec passion, avec folie, pendant trois mois ; puis, devenue enceinte en l'absence de son mari qui était gouverneur d'une colonie, elle s'était sauvée, s'était cachée, éperdue de désespoir et de terreur, jusqu'à la naissance de l'enfant que Mordiane avait emporté, un soir d'été, et qu'ils n'avaient jamais revu.

Elle était morte de la poitrine[1] trois ans plus tard, là-bas, dans la colonie de son mari qu'elle était allée rejoindre. Il avait devant lui leur fils, qui disait, en faisant sonner les finales comme des notes de métal :

– Ce terrain-là, monsieur, c'est une occasion unique…

Et Mordiane se rappelait l'autre voix, légère comme un effleurement de brise, murmurant :

– Mon cher aimé, nous ne nous séparerons jamais…

Et il se rappelait ce regard bleu, doux, profond, dévoué, en contemplant l'œil rond, bleu aussi, mais vide de ce petit homme ridicule qui ressemblait à sa mère, pourtant…

Oui, il lui ressemblait de plus en plus de seconde en seconde ; il lui ressemblait par l'intonation, par le geste, par toute l'allure ; il lui ressemblait comme un singe ressemble à l'homme ; mais il était d'elle, il avait

1. **Morte de la poitrine :** morte d'une maladie pulmonaire.

d'elle mille traits déformés irrécusables[1], irritants, révoltants. Le baron souffrait, hanté soudain par cette ressemblance horrible, grandissant toujours, exaspérante, affolante, torturante comme un cauchemar, comme un remords !

Il balbutia :

– Quand pourrons-nous voir ensemble ce terrain ?

– Mais, demain, si vous voulez.

– Oui, demain. Quelle heure ?

– Une heure.

– Ça va.

L'enfant rencontré sous l'avenue apparut dans la porte ouverte et cria :

– Païré[2] !

On ne lui répondit pas.

Mordiane était debout avec une envie de se sauver, de courir, qui lui faisait frémir les jambes. Ce « Païré » l'avait frappé comme une balle.

C'était à lui qu'il s'adressait, c'était pour lui, ce païré à l'ail, ce païré du Midi.

Oh ! qu'elle sentait bon, l'amie d'autrefois !

Duchoux le reconduisait.

– C'est à vous, cette maison ? dit le baron.

– Oui, monsieur, je l'ai achetée dernièrement. Et j'en suis fier. Je suis enfant du hasard[3], moi, monsieur, et je ne m'en cache pas ; j'en suis fier. Je ne dois rien à personne, je suis le fils de mes œuvres[4] ; je me dois tout à moi-même.

L'enfant, resté sur le seuil, criait de nouveau, mais de loin :

1. **Irrécusables :** indiscutables.
2. **Païré :** père (avec l'accent méridional).
3. **Enfant du hasard :** enfant naturel ou illégitime.
4. Il ne doit sa réussite qu'à son travail.

– Païré !

Mordiane, secoué de frissons, saisi de panique, fuyait comme on fuit devant un grand danger.

– Il va me deviner, me reconnaître, pensait-il. Il va me prendre dans ses bras et me crier aussi : « Païré », en me donnant par le visage un baiser parfumé d'ail.

– À demain, monsieur.

– À demain, une heure.

Le landau roulait sur la route blanche.

– Cocher, à la gare !

Et il entendait deux voix, une lointaine et douce, la voix affaiblie et triste des morts, qui disait : « Mon cher aimé. » Et l'autre sonore, chantante, effrayante, qui criait : « Païré », comme on crie : « Arrêtez-le », quand un voleur fuit dans les rues.

Le lendemain soir, en entrant au cercle, le comte d'Étreillis lui dit :

– On ne vous a pas vu depuis trois jours. Avez-vous été malade ?

– Oui, un peu souffrant. J'ai des migraines, de temps en temps.

(14 novembre 1887)

STRUCTURE : l'écriture d'une désillusion

Dans la narration, il n'y a pas que les instants dramatiques qui comptent. De petits faits, des échos à l'intérieur du texte peuvent aussi donner son sens profond à la nouvelle.

1. Rapprochez le premier paragraphe et les trois dernières phrases de la nouvelle : qu'en concluez-vous ?

2. La maison des Duchoux : relevez la seule phrase qui en donne une vision positive.

3. Lignes 126 à 130 : a) Relevez une énumération*. Quel effet produit-elle ? b) Dans le même passage, quel est l'autre procédé de style utilisé et quel est son but ?

4. Lignes 171 à 188 : relevez deux accumulations* ? Quel effet produisent-elles ?

5. Jusqu'à quel moment Mordiane peut-il garder l'espoir de voir son rêve réalisé ?

QUI PARLE ? QUI VOIT ? Un regard méprisant

Un narrateur raconte l'histoire du baron de Mordiane qui redécouvre un fils oublié… Et le lecteur, que voit-il ?

6. Le discours rapporté : dans la partie centrale du récit, justifiez l'emploi du discours direct. Relevez les passages écrits au discours indirect libre et justifiez-en l'emploi.

7. Quels sont tous les détails qui dévalorisent chaque membre de la famille Duchoux du point de vue de Mordiane ? Est-ce le point de vue du narrateur ?

8. Quels sont, à la fin, les deux principaux éléments concrets qui font fuir Mordiane ?

THÈMES : une ressemblance horrible

9. Dans la partie centrale du récit, donnez l'ordre d'apparition des personnages. Quel est le personnage absent dont on entend cependant la voix ?

10. Donnez tous les termes qui montrent la grande ressemblance entre le fils et la mère. Qu'est-ce qui les oppose ?

11. Quels mots et expressions montrent que Mordiane vit cette rencontre comme un véritable cauchemar ?

HAUTOT PÈRE ET FILS

I

Devant la porte de la maison, demi-ferme, demi-manoir[1], une de ces habitations rurales mixtes[2] qui furent presque seigneuriales et qu'occupent à présent de gros cultivateurs, les chiens, attachés aux pommiers de la cour, aboyaient et hurlaient à la vue des carnassières[3] portées par le garde et des gamins. Dans la grande salle à manger-cuisine, Hautot père, Hautot fils, M. Bermont, le percepteur, et M. Mondaru, le notaire, cassaient une croûte et buvaient un verre avant de se mettre en chasse, car c'était jour d'ouverture.

Hautot père, fier de tout ce qu'il possédait, vantait d'avance le gibier que ses invités allaient trouver sur ses terres. C'était un grand Normand, un de ces hommes puissants, sanguins, osseux, qui lèvent sur leurs épaules des voitures de pommes. Demi-paysan, demi-monsieur, riche, respecté, influent, autoritaire, il avait fait suivre ses classes, jusqu'en troisième, à son fils Hautot César, afin qu'il eût de l'instruction, et il avait arrêté là ses études de peur qu'il devînt un monsieur indifférent à la terre.

Hautot César, presque aussi haut que son père, mais plus maigre, était un bon garçon de fils, docile, content de tout, plein d'admiration, de respect et de déférence[4] pour les volontés et les opinions de Hautot père.

M. Bermont, le percepteur, un petit gros qui montrait sur ses joues rouges de minces réseaux de

1. **Manoir :** petit château.
2. **Mixtes :** dont l'architecture évoque à la fois la ferme et le château.
3. **Carnassières :** sacs de chasseurs pour porter le gibier, gibecières.
4. **Déférence :** considération très respectueuse.

veines violettes pareils aux affluents et au cours tortueux des fleuves sur les cartes de géographie, demandait :

« Et du lièvre – y en a-t-il, du lièvre ?... »

Hautot père répondit :

« Tant que vous voudrez, surtout dans les fonds[1] du Puysatier.

– Par où commençons-nous ? » interrogea le notaire, un bon vivant de notaire gras et pâle, bedonnant aussi et sanglé dans un costume de chasse tout neuf, acheté à Rouen l'autre semaine.

« Eh bien, par-là, par les fonds. Nous jetterons les perdrix dans la plaine et nous nous rabattrons dessus. »

Et Hautot père se leva. Tous l'imitèrent, prirent leurs fusils dans les coins, examinèrent les batteries[2], tapèrent du pied pour s'affermir dans leurs chaussures un peu dures, pas encore assouplies par la chaleur du sang ; puis ils sortirent ; et les chiens se dressant au bout des attaches poussèrent des hurlements aigus en battant l'air de leurs pattes.

On se mit en route vers les fonds. C'était un petit vallon, ou plutôt une grande ondulation de terres de mauvaise qualité, demeurées incultes pour cette raison, sillonnées de ravines[3], couvertes de fougères, excellente réserve de gibier.

Les chasseurs s'espacèrent, Hautot père tenant la droite, Hautot fils tenant la gauche, et les deux invités au milieu. Le garde et les porteurs de carniers[4] suivaient. C'était l'instant solennel où on attend le

1. **Les fonds :** les creux, les vallées.
2. **Batteries :** parties des anciens fusils qui contenaient le percuteur.
3. **Ravines :** petits ravins creusés par le ruissellement.
4. **Carniers :** sacs pour porter le gibier, petites carnassières.

premier coup de fusil, où le cœur bat un peu, tandis que le doigt nerveux tâte à tout instant les gâchettes.

Soudain, il partit, ce coup ! Hautot père avait tiré. Tous s'arrêtèrent et virent une perdrix, se détachant d'une compagnie qui fuyait à tire-d'aile, tomber dans un ravin sous une broussaille épaisse. Le chasseur excité se mit à courir, enjambant, arrachant les ronces qui le retenaient, et il disparut à son tour dans le fourré, à la recherche de sa pièce.

Presque aussitôt, un second coup de feu retentit.

« Ah ! ah ! le gredin[1], cria M. Bermont, il aura déniché un lièvre là-dessous. »

Tous attendaient, les yeux sur ce tas de branches impénétrables au regard.

Le notaire, faisant un porte-voix de ses mains, hurla : « Les avez-vous ? » Hautot père ne répondit pas ; alors, César, se tournant vers le garde, lui dit : « Va donc l'aider, Joseph. Il faut marcher en ligne. Nous attendrons. »

Et Joseph, un vieux tronc d'homme sec, noueux[2], dont toutes les articulations faisaient des bosses, partit d'un pas tranquille et descendit dans le ravin, en cherchant les trous praticables avec des précautions de renard. Puis, tout de suite, il cria :

« Oh ! v'nez ! v'nez ! y a un malheur d'arrivé. »

Tous accoururent et plongèrent dans les ronces. Hautot père, tombé sur le flanc, évanoui, tenait à deux mains son ventre d'où coulaient à travers sa veste de toile déchirée par le plomb de longs filets de sang sur l'herbe. Lâchant son fusil pour saisir la perdrix morte à portée de sa main, il avait laissé tomber l'arme dont le

1. **Gredin :** coquin, fripon ; ici, le terme n'est pas injurieux et signifie veinard.

2. **Noueux :** qui a des nœuds (protubérances) comme un tronc d'arbre.

second coup, partant au choc, lui avait crevé les entrailles[1]. On le tira du fossé, on le dévêtit, et on vit une plaie affreuse par où les intestins sortaient. Alors, après qu'on l'eut ligaturé[2] tant bien que mal, on le reporta chez lui et on attendit le médecin qu'on avait été quérir[3], avec un prêtre.

Quand le docteur arriva, il remua la tête gravement, et se tournant vers Hautot fils qui sanglotait sur une chaise :

« Mon pauvre garçon, dit-il, ça n'a pas bonne tournure. »

Mais quand le pansement fut fini, le blessé remua les doigts, ouvrit la bouche, puis les yeux, jeta devant lui des regards troubles, hagards[4], puis parut chercher dans sa mémoire, se souvenir, comprendre, et il murmura :

« Nom d'un nom, ça y est ! »

Le médecin lui tenait la main.

« Mais non, mais non, quelques jours de repos seulement, ça ne sera rien. »

Hautot reprit :

« Ça y est ! j'ai l'ventre crevé ! Je le sais bien. »

Puis soudain :

« J'veux parler au fils, si j'ai le temps. »

Hautot fils, malgré lui, larmoyait et répétait comme un petit garçon :

« P'pa, p'pa, pauv'e p'pa ! »

Mais le père, d'un ton plus ferme :

1. **Entrailles :** ensemble des organes de l'intérieur du ventre.
2. **Ligaturé :** serré avec des liens ; on essaie de refermer la plaie pour empêcher que tous les organes ne s'en échappent.
3. **Quérir :** chercher pour amener.
4. **Hagards :** égarés, effarés.

« Allons, pleure pu, c'est pas le moment. J'ai à te parler. Mets-toi là, tout près, ça sera vite fait, et je serai plus tranquille. Vous autres, une minute s'il vous plaît. »

Tous sortirent laissant le fils en face du père.

Dès qu'ils furent seuls :

« Écoute, fils, tu as vingt-quatre ans, on peut te dire les choses. Et puis il n'y a pas tant de mystère à ça que nous en mettons. Tu sais bien que ta mère est morte depuis sept ans, pas vrai, et que je n'ai pas plus de quarante-cinq ans, moi, vu que je me suis marié à dix-neuf. Pas vrai ? »

Le fils balbutia :

« Oui, c'est vrai.

– Donc ta mère est morte depuis sept ans, et moi je suis resté veuf. Eh bien ! ce n'est pas un homme comme moi qui peut rester veuf à trente-sept ans, pas vrai ? »

Le fils répondit :

« Oui, c'est vrai. »

Le père haletant, tout pâle et la face crispée, continua :

« Dieu que j'ai mal ! Eh bien, tu comprends. L'homme n'est pas fait pour vivre seul, mais je ne voulais pas donner une suivante[1] à ta mère, vu que je lui avais promis ça. Alors… tu comprends ?

– Oui, père.

– Donc, j'ai pris une petite[2] à Rouen, rue de l'Éperlan, 18, au troisième, la seconde porte – je te dis tout ça, n'oublie pas, – mais une petite qui a été gentille tout plein pour moi, aimante, dévouée, une vraie femme, quoi ? Tu saisis, mon gars ?

1. **Suivante :** une remplaçante.
2. Hautot a une maîtresse en ville qu'il entretient.

– Oui, père.

– Alors, si je m'en vas, je lui dois quelque chose, mais quelque chose de sérieux qui la mettra à l'abri. Tu comprends ?

– Oui, père.

– Je te dis que c'est une brave fille, mais là, une brave, et que, sans toi, et sans le souvenir de ta mère, et puis sans la maison où nous avons vécu tous trois, je l'aurais amenée ici, et puis épousée, pour sûr… écoute… écoute… mon gars… j'aurais pu faire un testament… je n'en ai point fait ! Je n'ai pas voulu… car il ne faut point écrire les choses… ces choses-là… ça nuit trop aux légitimes[1]… et puis ça embrouille tout… ça ruine tout le monde ! Vois-tu, le papier timbré[2], n'en faut pas, n'en fais jamais usage. Si je suis riche, c'est que je ne m'en suis point servi de ma vie. Tu comprends, mon fils !

– Oui, père.

– Écoute encore… Écoute bien… Donc je n'ai pas fait de testament… je n'ai pas voulu…, et puis je te connais, tu as bon cœur, tu n'es pas ladre[3], pas regardant, quoi. Je me suis dit que, sur ma fin, je te conterais les choses et que je te prierais de ne pas oublier la petite : – Caroline Donet, rue de l'Éperlan, 18, au troisième, la seconde porte, n'oublie pas. – Et puis, écoute encore. Vas-y tout de suite quand je serai parti – et puis arrange-toi pour qu'elle ne se plaigne pas de ma mémoire. – Tu as de quoi. – Tu le peux, – je te laisse assez… Écoute… En semaine on ne la trouve

1. **Légitimes :** nés d'une union légale (mariage).
2. **Papier timbré :** papier émis par le gouvernement pour les actes civils ou judiciaires portant une vignette correspondant au prix à payer pour établir l'acte (ex. : timbre fiscal). Il est utilisé, entre autres, par les notaires.
3. **Ladre :** avare, pingre.

SITUER

Hautot, mourant, confie ses dernières volontés à son fils.

RÉFLÉCHIR

REGISTRES ET TONALITÉS : les marques de l'oral

1. Quel est le rôle des points de suspension ? des points d'exclamation ? des tirets ?

2. Y a-t-il beaucoup de verbes introducteurs du dialogue ? Quel est l'effet produit ?

3. Relevez et classez les expressions et tournures propres à la langue parlée familière.

4. Recherchez les répétitions et les reprises* dans les paroles du père. Que traduisent-elles ?

STRATÉGIES : l'argumentation

5. Relevez dans les paroles du père toutes les conjonctions exprimant la cause, la conséquence et l'opposition. Quel dessein révèlent-elles chez le père ?

6. Les phrases interrogatives du père sont-elles des questions totales ou partielles ? Quel type de réponse entraînent-elles obligatoirement de la part de son fils ? Est-ce un vrai dialogue ?

7. Qu'est-ce qui, malgré le contexte, fait sourire le lecteur pendant cette scène ?

SOCIÉTÉ : « j'ai pris une petite » (l. 143)

8. Quel est le rôle de Caroline Donet ?

9. Quelles raisons Hautot aurait-il eues de se remarier ? Pourquoi ne l'a-t-il pas fait ?

10. « personne d'étranger dans le secret » (l. 183-184) : pour quelles raisons ?

11. Dans le dialogue entre le fils et son père mourant, relevez la fréquence des expressions indéfinies comme : « des choses », « ça »... Que désignent-elles ? Pourquoi Hautot n'utilise-t-il pas des mots plus précis ?

12. Comment interprétez-vous l'avant-dernière réplique du père (l. 197-198) ? Quelle est sa fonction dans le récit ?

pas. Elle travaille chez Mme Moreau, rue Beau-voisine. Vas-y le jeudi. Ce jour-là elle m'attend. C'est mon jour, depuis six ans. Pauvre p'tite, va-t-elle pleurer !… Je te dis tout ça, parce que je te connais bien, mon fils. Ces choses-là on ne les conte pas au public, ni au notaire, ni au curé. Ça se fait, tout le monde le sait, mais ça ne se dit pas, sauf nécessité. Alors, personne d'étranger dans le secret, personne que la famille, parce que la famille, c'est tous en un seul. Tu comprends ?

– Oui, père.

– Tu promets ?

– Oui, père.

– Tu jures ?

– Oui, père.

– Je t'en prie, je t'en supplie, fils, n'oublie pas. J'y tiens.

– Non, père.

– Tu iras toi-même. Je veux que tu t'assures de tout.

– Oui, père.

– Et puis tu verras… tu verras ce qu'elle t'expliquera. Moi, je ne peux pas te dire plus. C'est juré ?

– Oui, père.

– C'est bon, mon fils. Embrasse-moi. Adieu. Je vas claquer, j'en suis sûr. Dis-leur qu'ils entrent. »

Hautot fils embrassa son père en gémissant, puis, toujours docile, ouvrit la porte, et le prêtre parut, en surplis[1] blanc, portant les saintes huiles[2].

---

1. **Surplis :** vêtement large que les prêtres portent par-dessus la soutane et qui descend à mi-jambes.
2. **Saintes huiles :** huiles bénites utilisées pour les sacrements chrétiens, notamment l'onction des malades ou des mourants.

Mais le moribond[1] avait fermé les yeux, et il refusa de les rouvrir, il refusa de répondre, il refusa de montrer, même par un signe, qu'il comprenait.

Il avait assez parlé, cet homme, il n'en pouvait plus. Il se sentait d'ailleurs à présent le cœur tranquille, il voulait mourir en paix. Qu'avait-il besoin de se confesser au délégué de Dieu[2], puisqu'il venait de se confesser à son fils, qui était de la famille, lui ?

Il fut administré[3], purifié, absous[4], au milieu de ses amis et de ses serviteurs agenouillés, sans qu'un seul mouvement de son visage révélât qu'il vivait encore.

Il mourut vers minuit, après quatre heures de tressaillements indiquant d'atroces souffrances.

II

Ce fut le mardi qu'on l'enterra, la chasse ayant ouvert le dimanche. Rentré chez lui, après avoir conduit son père au cimetière, César Hautot passa le reste du jour à pleurer. Il dormit à peine la nuit suivante et il se sentit si triste en s'éveillant qu'il se demandait comment il pourrait continuer à vivre.

Jusqu'au soir cependant il songea que, pour obéir à la dernière volonté paternelle, il devait se rendre à Rouen le lendemain, et voir cette fille Caroline Donet qui demeurait rue de l'Éperlan, 18, au troisième étage, la seconde porte. Il avait répété, tout bas, comme on marmotte une prière, ce nom et cette adresse, un

---

1. **Moribond :** mourant.
2. **Se confesser au délégué de Dieu :** déclarer ses péchés à un prêtre.
3. On lui a **administré** le sacrement des malades (nommé autrefois extrême-onction).
4. **Absous :** les péchés du mourant sont pardonnés par Dieu grâce aux prières du prêtre.

nombre incalculable de fois, afin de ne pas les oublier, et il finissait par les balbutier indéfiniment, sans pouvoir s'arrêter ou penser à quoi que ce fût, tant sa langue et son esprit étaient possédés par cette phrase.

Donc le lendemain, vers huit heures, il ordonna d'atteler Graindorge au tilbury[1] et partit au grand trot du lourd cheval normand sur la grand-route d'Ainville à Rouen. Il portait sur le dos sa redingote[2] noire, sur la tête son grand chapeau de soie et sur les jambes sa culotte à sous-pieds[3], et il n'avait pas voulu, vu la circonstance, passer par-dessus son beau costume, la blouse bleue qui se gonfle au vent, garantit le drap[4] de la poussière et des taches, et qu'on ôte prestement à l'arrivée, dès qu'on a sauté de voiture.

Il entra dans Rouen alors que dix heures sonnaient, s'arrêta comme toujours à l'hôtel des Bons-Enfants, rue des Trois-Mares, subit les embrassades du patron, de la patronne et de ses cinq fils, car on connaissait la triste nouvelle ; puis, il dut donner des détails sur l'accident, ce qui le fit pleurer, repousser les services de tous ces gens, empressés parce qu'ils le savaient riche, et refuser même leur déjeuner, ce qui les froissa.

Ayant donc épousseté son chapeau, brossé sa redingote et essuyé ses bottines, il se mit à la recherche de la rue de l'Éperlan, sans oser prendre de renseignements près de personne, de crainte d'être reconnu et d'éveiller les soupçons.

À la fin, ne trouvant pas, il aperçut un prêtre, et se fiant à la discrétion professionnelle des hommes d'Église, il s'informa auprès de lui.

1. **Tilbury :** voiture à cheval légère.
2. **Redingote :** veste longue cintrée.
3. **Sous-pied :** bande qui passe sous le pied et maintient tendu le pantalon.
4. **Drap :** tissu de laine de la redingote.

Il n'avait que cent pas à faire, c'était justement la deuxième rue à droite.

Alors, il hésita. Jusqu'à ce moment, il avait obéi comme une brute à la volonté du mort. Maintenant il se sentait tout remué, confus, humilié à l'idée de se trouver, lui, le fils, en face de cette femme qui avait été la maîtresse de son père. Toute la morale qui gît[1] en nous, tassée au fond de nos sentiments par des siècles d'enseignement héréditaire, tout ce qu'il avait appris depuis le catéchisme[2] sur les créatures de mauvaise vie[3], le mépris instinctif que tout homme porte en lui contre elles, même s'il en épouse une, toute son honnêteté bornée de paysan, tout cela s'agitait en lui, le retenait, le rendait honteux et rougissant.

Mais il pensa : « J'ai promis au père. Faut pas y manquer. » Alors il poussa la porte entrebâillée de la maison marquée du numéro 18, découvrit un escalier sombre, monta trois étages, aperçut une porte, puis une seconde, trouva une ficelle de sonnette et tira dessus.

Le din-din qui retentit dans la chambre voisine lui fit passer un frisson dans le corps. La porte s'ouvrit et il se trouva en face d'une jeune dame très bien habillée, brune, au teint coloré, qui le regardait avec des yeux stupéfaits.

Il ne savait que lui dire, et, elle, qui ne se doutait de rien, et qui attendait l'autre, ne l'invitait pas à entrer. Ils se contemplèrent ainsi pendant près d'une demi-minute. À la fin elle demanda :

« Vous désirez, Monsieur ? »

---

1. **Gît :** qui est enfouie (du verbe *gésir*).
2. **Catéchisme :** enseignement religieux chrétien.
3. **Créatures de mauvaise vie :** femmes prostituées ou entretenues.

Il murmura :

« Je suis Hautot fils. »

Elle eut un sursaut, devint pâle, et balbutia comme si elle le connaissait depuis longtemps :

« Monsieur César ?

– Oui…

– Et alors… ?

– J'ai à vous parler de la part du père. »

Elle fit « Oh ! mon Dieu ! » et recula pour qu'il entrât. Il ferma la porte et la suivit.

Alors il aperçut un petit garçon de quatre ou cinq ans, qui jouait avec un chat, assis par terre devant un fourneau d'où montait une fumée de plats tenus au chaud.

« Asseyez-vous », disait-elle.

Il s'assit… Elle demanda :

« Eh bien ? »

Il n'osait plus parler, les yeux fixés sur la table dressée au milieu de l'appartement, et portant trois couverts, dont un d'enfant. Il regardait la chaise tournée dos au feu, l'assiette, la serviette, les verres, la bouteille de vin rouge entamée et la bouteille de vin blanc intacte. C'était la place de son père, dos au feu ! On l'attendait. C'était son pain qu'il voyait, qu'il reconnaissait près de la fourchette, car la croûte était enlevée à cause des mauvaises dents d'Hautot. Puis, levant les yeux, il aperçut, sur le mur, son portrait, la grande photographie faite à Paris l'année de l'Exposition[1], la même qui était clouée au-dessus du lit dans la chambre à coucher d'Ainville.

La jeune femme reprit :

« Eh bien, monsieur César ? »

1. Il s'agit de l'Exposition universelle de 1878.

Il la regarda. Une angoisse l'avait rendue livide et elle attendait, les mains tremblantes de peur.

Alors il osa.

« Eh bien, Mam'zelle, papa est mort dimanche, en ouvrant la chasse. »

Elle fut si bouleversée qu'elle ne remua pas. Après quelques instants de silence, elle murmura d'une voix presque insaisissable :

« Oh ! pas possible ! »

Puis, soudain, des larmes parurent dans ses yeux, et levant ses mains elle se couvrit la figure en se mettant à sangloter.

Alors, le petit tourna la tête, et voyant sa mère en pleurs, hurla. Puis, comprenant que ce chagrin subit venait de cet inconnu, il se rua sur César, saisit d'une main sa culotte et de l'autre il lui tapait la cuisse de toute sa force. Et César demeurait éperdu, attendri, entre cette femme qui pleurait son père et cet enfant qui défendait sa mère. Il se sentait lui-même gagné par l'émotion, les yeux enflés par le chagrin ; et, pour reprendre contenance, il se mit à parler.

« Oui, disait-il, le malheur est arrivé dimanche matin, sur les huit heures... » Et il contait, comme si elle l'eût écouté, n'oubliant aucun détail, disant les plus petites choses avec une minutie de paysan. Et le petit tapait toujours, lui lançant à présent des coups de pied dans les chevilles.

Quand il arriva au moment où Hautot père avait parlé d'elle, elle entendit son nom, découvrit sa figure et demanda :

« Pardon, je ne vous suivais pas, je voudrais bien savoir... Si ça ne vous contrariait pas de recommencer. »

Il recommença dans les mêmes termes : « Le malheur est arrivé dimanche matin sur les huit heures... »

Il dit tout, longuement, avec des arrêts, des points, des réflexions venues de lui, de temps en temps. Elle l'écoutait avidement, percevant[1] avec sa sensibilité nerveuse de femme toutes les péripéties qu'il racontait, et tressaillant d'horreur, faisant : « Oh mon Dieu ! » parfois. Le petit, la croyant calmée, avait cessé de battre César pour prendre la main de sa mère, et il écoutait aussi, comme s'il eût compris.

Quand le récit fut terminé, Hautot fils reprit :

« Maintenant, nous allons nous arranger ensemble suivant son désir. Écoutez, je suis à mon aise, il m'a laissé du bien. Je ne veux pas que vous ayez à vous plaindre… »

Mais elle l'interrompit vivement.

« Oh ! monsieur César, monsieur César, pas aujourd'hui. J'ai le cœur coupé… Une autre fois, un autre jour… Non, pas aujourd'hui… Si j'accepte, écoutez… ce n'est pas pour moi… non, non, non, je vous le jure. C'est pour le petit. D'ailleurs, on mettra ce bien sur sa tête[2]. »

Alors César, effaré, devina, et balbutiant :

« Donc… c'est à lui… le p'tit ?

– Mais oui », dit-elle.

Et Hautot fils regarda son frère avec une émotion confuse, forte et pénible.

Après un long silence, car elle pleurait de nouveau, César, tout à fait gêné, reprit :

« Eh bien, alors, mam'zelle Donet, je vais m'en aller. Quand voulez-vous que nous parlions de ça ? »

Elle s'écria :

« Oh ! non, ne partez pas, ne partez pas, ne me laissez pas toute seule avec Émile ! Je mourrais de

---

1. **Percevant :** ressentant.
2. **Sur sa tête :** l'argent sera déposé au nom de l'enfant chez un notaire.

chagrin. Je n'ai plus personne, personne que mon petit. Oh ! quelle misère, quelle misère, monsieur César ! Tenez, asseyez-vous. Vous allez encore me parler. Vous me direz ce qu'il faisait, là-bas, toute la semaine. »

Et César s'assit, habitué à obéir.

Elle approcha, pour elle, une autre chaise de la sienne, devant le fourneau où les plats mijotaient toujours, prit Émile sur ses genoux, et elle demanda à César mille choses sur son père, des choses intimes où l'on voyait, où il sentait sans raisonner qu'elle avait aimé Hautot de tout son pauvre cœur de femme.

Et, par l'enchaînement naturel de ses idées, peu nombreuses, il en revint à l'accident et se remit à le raconter avec tous les mêmes détails.

Quand il dit : « Il avait un trou dans le ventre, on y aurait mis les deux poings », elle poussa une sorte de cri, et les sanglots jaillirent de nouveau de ses yeux. Alors, saisi par la contagion, César se mit aussi à pleurer, et comme les larmes attendrissent toujours les fibres du cœur, il se pencha vers Émile dont le front se trouvait à portée de sa bouche et l'embrassa.

La mère, reprenant haleine, murmurait :

« Pauvre gars, le voilà orphelin.

– Moi aussi », dit César.

Et ils ne parlèrent plus.

Mais soudain, l'instinct pratique de ménagère, habituée à songer à tout, se réveilla chez la jeune femme.

« Vous n'avez peut-être rien pris de la matinée, monsieur César ?

– Non, Mam'zelle.

– Oh ! vous devez avoir faim. Vous allez manger un morceau.

– Merci, dit-il, je n'ai pas faim, j'ai eu trop de tourment. »

Elle répondit :

« Malgré la peine, faut bien vivre, vous ne me refuserez pas ça ! Et puis vous resterez un peu plus. Quand vous serez parti, je ne sais pas ce que je deviendrai. »

Il céda, après quelque résistance encore, et s'asseyant dos au feu, en face d'elle, il mangea une assiette de tripes[1] qui crépitaient dans le fourneau et but un verre de vin rouge. Mais il ne permit point qu'elle débouchât le vin blanc.

Plusieurs fois il essuya la bouche du petit qui avait barbouillé de sauce tout son menton.

Comme il se levait pour partir, il demanda :

« Quand est-ce voulez-vous que je revienne pour parler de l'affaire, mam'zelle Donet ?

– Si ça ne vous faisait rien, jeudi prochain, monsieur César. Comme ça je ne perdrais pas de temps. J'ai toujours mes jeudis libres.

– Ça me va, jeudi prochain.

– Vous viendrez déjeuner, n'est-ce pas ?

– Oh ! quant à ça, je ne peux pas le promettre.

– C'est qu'on cause mieux en mangeant. On a plus de temps aussi.

– Eh bien, soit. Midi alors. »

Et il s'en alla après avoir encore embrassé le petit Émile, et serré la main de Mlle Donet.

III

La semaine parut longue à César Hautot. Jamais il ne s'était trouvé seul et l'isolement lui semblait insupportable. Jusqu'alors, il vivait à côté de son père, comme son ombre, le suivait aux champs, surveillait

1. **Tripes :** plat normand fait à partir de boyaux de ruminants.

l'exécution de ses ordres, et quand il l'avait quitté pendant quelque temps le retrouvait au dîner. Ils passaient les soirs à fumer leurs pipes en face l'un de l'autre, en causant chevaux, vaches ou moutons ; et la poignée de main qu'ils se donnaient au réveil semblait l'échange d'une affection familiale et profonde.

Maintenant César était seul. Il errait par les labours d'automne, s'attendant toujours à voir se dresser au bout d'une plaine la grande silhouette gesticulante du père. Pour tuer les heures, il entrait chez les voisins, racontait l'accident à tous ceux qui ne l'avaient pas entendu, le répétait quelquefois aux autres. Puis, à bout d'occupations et de pensées, il s'asseyait au bord d'une route en se demandant si cette vie-là allait durer longtemps.

Souvent il songea à Mlle Donet. Elle lui avait plu. Il l'avait trouvée comme il faut, douce et brave fille, comme avait dit le père. Oui, pour une brave fille, c'était assurément une brave fille. Il était résolu à faire les choses grandement et à lui donner deux mille francs de rente[1] en assurant le capital[2] à l'enfant. Il éprouvait même un certain plaisir à penser qu'il allait la revoir le jeudi suivant, et arranger cela avec elle. Et puis l'idée de ce frère, de ce petit bonhomme de cinq ans, qui était le fils de son père, le tracassait, l'ennuyait un peu et l'échauffait[3] en même temps. C'était une espèce de famille qu'il avait là dans ce mioche clandestin[4] qui ne s'appellerait jamais Hautot, une famille qu'il pouvait prendre ou laisser à sa guise, mais qui lui rappelait le père.

1. **Rente :** revenu provenant des intérêts d'une somme d'argent placée.
2. **Capital :** argent qu'on place en vue de le faire fructifier.
3. **Échauffer :** exciter.
4. **Clandestin :** non reconnu et tenu secret.

Aussi quand il se vit sur la route de Rouen, le jeudi matin, emporté par le trot sonore de Graindorge, il sentit son cœur plus léger, plus reposé qu'il ne l'avait encore eu depuis son malheur.

Quand il entra dans l'appartement de Mlle Donet, il vit la table mise comme le jeudi précédent, avec cette seule différence que la croûte du pain n'était pas ôtée. Il serra la main de la jeune femme, baisa Émile sur les joues et s'assit, un peu comme chez lui, le cœur gros tout de même. Mlle Donet lui parut un peu maigrie, un peu pâlie. Elle avait dû rudement pleurer. Elle avait maintenant un air gêné devant lui comme si elle eût compris ce qu'elle n'avait pas senti l'autre semaine sous le premier coup de son malheur, et elle le traitait avec des égards[1] excessifs, une humilité[2] douloureuse, et des soins touchants comme pour lui payer en attention et en dévouement les bontés qu'il avait pour elle. Ils déjeunèrent longuement, en parlant de l'affaire qui l'amenait. Elle ne voulait pas tant d'argent. C'était trop, beaucoup trop. Elle gagnait assez pour vivre, elle, mais elle désirait seulement qu'Émile trouvât quelques sous devant lui quand il serait grand. César tint bon, et ajouta même un cadeau de mille francs pour elle, pour son deuil.

Comme il avait pris son café, elle demanda :

« Vous fumez ?

– Oui… J'ai ma pipe. »

Il tâta sa poche. Nom d'un nom, il l'avait oubliée ! Il allait se désoler quand elle lui offrit une pipe du père, enfermée dans une armoire. Il accepta, la prit, la reconnut, la flaira, proclama sa qualité avec une émotion dans la voix, l'emplit de tabac et l'alluma.

1. **Égards :** marques de respect.
2. **Humilité :** soumission, effacement volontaire.

Puis il mit Émile à cheval sur sa jambe et le fit jouer au cavalier pendant qu'elle desservait la table et enfermait, dans le bas du buffet, la vaisselle sale pour la laver, quand il serait sorti.

Vers trois heures, il se leva à regret, tout ennuyé à l'idée de partir.

« Eh bien ! mam'zelle Donet, dit-il, je vous souhaite le bonsoir et charmé de vous avoir trouvée comme ça. »

Elle restait devant lui, rouge, bien émue, et le regardait en songeant à l'autre.

« Est-ce que nous ne nous reverrons plus ? » dit-elle.

Il répondit simplement :

« Mais oui, Mam'zelle, si ça vous fait plaisir.

– Certainement, monsieur César. Alors, jeudi prochain, ça vous irait-il ?

– Oui, mam'zelle Donet.

– Vous venez déjeuner, bien sûr ?

– Mais…, si vous voulez bien, je ne refuse pas.

– C'est entendu, monsieur César, jeudi prochain, midi, comme aujourd'hui.

– Jeudi midi, mam'zelle Donet ! »

(5 janvier 1889)

GENRES : formes et rythme de la narration*

La narration prend ici des libertés avec l'ordre chronologique : pourquoi ces ruptures et ces redites ?

1. Où se trouve la seule rétrospective de la nouvelle ? Quelle est son utilité ?

2. Quel passage constitue un sommaire* ? À quoi sert-il dans la logique du récit ?

3. Délimitez ce qu'on appelle des scènes*.

4. Combien de fois et à qui l'accident et la mort du père sont-ils racontés ? Pourquoi ces répétitions ?

5. Quels noms, quelles adresses, quels jours sont répétés plusieurs fois ? Par qui et pourquoi ?

THÈMES ET PERSONNAGES : fils et père

Des relations complexes unissent le père et le fils, dans la vie et par-delà la mort. Plus que la différence des tempéraments, c'est l'éducation qui est ici sur la sellette.

Un fils très obéissant

6. Quels comportements de César montrent qu'à 24 ans il est resté un enfant dépendant de son père ?

7. Recherchez deux expressions ironiques du narrateur évoquant l'intelligence médiocre de César.

8. En quoi le père est-il responsable du manque d'autonomie de son fils ?

La place du père

9. Comparez les deux repas de César chez Mlle Donet.

10. Quel objet suggère que César va prendre la place de son père auprès de Mlle Donet et de son fils ?

11. Dans quelle situation ambiguë César se retrouve-t-il par obéissance aux volontés paternelles ?

12. Expliquez le titre : *Hautot père et fils*.

Écrire

13. Transposition : en reprenant les données du texte, faites raconter l'accident de chasse par César. Vous commencerez votre récit par : « Le malheur est arrivé dimanche matin sur les huit heures… »

14. « […] il vivait à côté de son père, comme son ombre, […] » Quelles sont à votre avis les qualités que l'éducation doit développer chez un enfant ? Vous argumenterez en vous appuyant sur les questions 6, 8 et 11, et sur vos lectures.

Boitelle

À Robert Pinchon[1].

Le père Boitelle (Antoine) avait dans tout le pays la spécialité des besognes malpropres. Toutes les fois qu'on avait à faire nettoyer une fosse, un fumier[2], un puisard[3], à curer un égout, un trou de fange[4] quelconque, c'était lui qu'on allait chercher.

Il s'en venait avec ses instruments de vidangeur et ses sabots enduits de crasse, et se mettait à sa besogne en geignant sans cesse sur son métier. Quand on lui demandait alors pourquoi il faisait cet ouvrage répugnant, il répondait avec résignation :

« Pardi, c'est pour mes éfants qu'il faut nourrir. Ça rapporte plus qu'autre chose. »

Il avait, en effet, quatorze enfants. Si on s'informait de ce qu'ils étaient devenus, il disait avec un air d'indifférence :

« N'en reste huit à la maison. Y en a un au service[5] et cinq mariés. »

Quand on voulait savoir s'ils étaient bien mariés, il reprenait avec vivacité :

« Je les ai pas opposés. Je les ai opposés en rien. Ils ont marié comme ils ont voulu. Faut pas opposer les goûts, ça tourne mal. Si je suis ordureux, mé, c'est que mes parents m'ont opposé dans mes goûts. Sans ça, j'aurais devenu un ouvrier comme les autres. »

---

1. Un des meilleurs amis de Maupassant.
2. **Fumier :** ici, un tas de fumier (mélange de paille et d'excréments animaux dans une ferme).
3. **Puisard :** type d'égout où les eaux usées s'écoulent par infiltration.
4. **Fange :** boue liquide et salissante.
5. **Service :** service militaire.

Voici en quoi ses parents l'avaient contrarié dans ses goûts.

Il était alors soldat, faisant son temps[1] au Havre, pas plus bête qu'un autre, pas plus dégourdi non plus, un peu simple pourtant. Pendant les heures de liberté, son plus grand plaisir était de se promener sur le quai, où sont réunis les marchands d'oiseaux. Tantôt seul, tantôt avec un pays[2], il s'en allait lentement le long des cages où les perroquets à dos vert et à tête jaune des Amazones, les perroquets à dos gris et à tête rouge du Sénégal, les aras[3] énormes qui ont l'air d'oiseaux cultivés en serre, avec leurs plumes fleuries, leurs panaches et leurs aigrettes, les perruches de toutes tailles, qui semblent coloriées avec un soin minutieux par un bon Dieu miniaturiste[4], et les petits, tout petits oisillons sautillants, rouges, jaunes, bleus et bariolés, mêlant leurs cris au bruit du quai, apportent dans le fracas des navires déchargés, des passants et des voitures, une rumeur violente, aiguë, piaillarde, assourdissante, de forêt lointaine et surnaturelle.

Boitelle s'arrêtait, les yeux ouverts, la bouche ouverte, riant et ravi, montrant ses dents aux kakatoès prisonniers qui saluaient de leur huppe blanche ou jaune le rouge éclatant de sa culotte et le cuivre de son ceinturon. Quand il rencontrait un oiseau parleur, il lui posait des questions ; et si la bête se trouvait ce jour-là disposée à répondre et dialoguait avec lui, il emportait pour jusqu'au soir de la gaieté et du contentement. À regarder les singes aussi il se faisait des bosses de

1. **Son temps** de service militaire.
2. **Pays :** quelqu'un de son village (terme populaire).
3. **Aras :** espèce de perroquets, comme les kakatoès et les araracas.
4. **Miniaturiste :** peintre qui exécute des œuvres de petite dimension.

plaisir[1], et il n'imaginait point de plus grand luxe pour un homme riche que de posséder ces animaux ainsi qu'on a des chats et des chiens. Ce goût-là, ce goût de l'exotique, il l'avait dans le sang comme on a celui de la chasse, de la médecine ou de la prêtrise. Il ne pouvait s'empêcher, chaque fois que s'ouvraient les portes de la caserne, de s'en revenir au quai comme s'il s'était senti tiré par une envie.

Or une fois, s'étant arrêté presque en extase devant un araraca monstrueux qui gonflait ses plumes, s'inclinait, se redressait, semblait faire les révérences de cour du pays des perroquets, il vit s'ouvrir la porte d'un petit café attenant à la boutique du marchand d'oiseaux, et une jeune négresse[2], coiffée d'un foulard rouge, apparut, qui balayait vers la rue les bouchons et le sable de l'établissement.

L'attention de Boitelle fut aussitôt partagée entre l'animal et la femme, et il n'aurait su dire vraiment lequel de ces deux êtres il contemplait avec le plus d'étonnement et de plaisir.

La négresse, ayant poussé dehors les ordures du cabaret, leva les yeux, et demeura à son tour tout éblouie devant l'uniforme du soldat. Elle restait debout, en face de lui, son balai dans les mains comme si elle lui eût porté les armes, tandis que l'araraca continuait à s'incliner. Or le troupier au bout de quelques instants fut gêné par cette attention, et il s'en alla à petits pas, pour n'avoir point l'air de battre en retraite.

Mais il revint. Presque chaque jour il passa devant le café des Colonies, et souvent il aperçut à travers les vitres la petite bonne à peau noire qui servait des

---

1. Des bosses de plaisir : il en riait de plaisir (*cf.* « rire comme un bossu »).
2. Négresse : femme noire. Ce mot n'est pas péjoratif au XIXe siècle.

SITUER

Boitelle, jeune paysan, va faire lors de son service militaire une rencontre qui pourrait bouleverser sa vie.

RÉFLÉCHIR

GENRES : de la description au récit du coup de foudre

1. Observez le premier paragraphe : quel est le nombre de phrases ? Quelle est leur longueur ?

2. Faites le découpage en propositions de la dernière phrase de ce premier paragraphe. Que constatez-vous ? Quel est l'effet ?

3. Le quai est comparé dans cette phrase à une « forêt lointaine et surnaturelle ». Relevez pour chacun des trois termes ce qui, dans la phrase, induit cette métaphore.

4. Comment progresse la description ? Imaginez la transposition cinématographique de ce passage en réalisant un découpage technique ou scénarimage.

5. Étudiez le champ lexical de la joie dans les deuxième et troisième paragraphes. Que révèle-t-il ?

REGISTRES ET TONALITÉS : l'ironie

6. Quels sont les points communs entre les kakatoès et Boitelle ? entre l'araraca et la négresse ? Qu'est-ce qui les oppose ?

7. Dans l'ensemble du passage, relevez les jugements explicites ou implicites du narrateur sur son personnage. Expliquez-en l'ironie.

ÉCRIRE

8. Lisez *Cannibale* de Didier Daeninckx (Magnard, 2001) et *De l'indigène à l'immigré* de Pascal Blanchard et Nicolas Bancel (Gallimard, 1998). Faites un compte rendu écrit ou oral.

bocks[1] ou de l'eau-de-vie aux matelots du port. Souvent aussi elle sortait en l'apercevant ; bientôt, même, sans s'être jamais parlé, ils se sourirent comme des connaissances ; et Boitelle se sentait le cœur remué, en voyant luire tout à coup, entre les lèvres sombres de la fille, la ligne éclatante de ses dents. Un jour enfin il entra, et fut tout surpris en constatant qu'elle parlait français comme tout le monde. La bouteille de limonade, dont elle accepta de boire un verre, demeura, dans le souvenir du troupier[2], mémorablement délicieuse ; et il prit l'habitude de venir absorber, en ce petit cabaret du port, toutes les douceurs liquides que lui permettait sa bourse.

C'était pour lui une fête, un bonheur auquel il pensait sans cesse, de regarder la main noire de la petite bonne verser quelque chose dans son verre, tandis que les dents riaient, plus claires que les yeux. Au bout de deux mois de fréquentation, ils devinrent tout à fait bons amis, et Boitelle, après le premier étonnement de voir que les idées de cette négresse étaient pareilles aux bonnes idées des filles du pays, qu'elle respectait l'économie, le travail, la religion et la conduite[3], l'en aima davantage, s'éprit d'elle au point de vouloir l'épouser.

Il lui dit ce projet qui la fit danser de joie. Elle avait d'ailleurs quelque argent, laissé par une marchande d'huîtres, qui l'avait recueillie quand elle fut déposée sur le quai du Havre par un capitaine américain. Ce capitaine l'avait trouvée âgée d'environ six ans, blottie sur des balles[4] de coton dans la cale de son navire, quelques

1. **Bocks :** grands verres de bière.
2. **Troupier :** homme de la troupe, militaire.
3. **Conduite :** la bonne conduite, la bonne tenue.
4. **Balles :** gros paquets.

heures après son départ de New York. Venant au Havre, il y abandonna aux soins de cette écaillère[1] apitoyée ce petit animal noir caché à son bord, il ne savait par qui ni comment. La vendeuse d'huîtres étant morte, la jeune négresse devint bonne au café des Colonies.

Antoine Boitelle ajouta :

« Ça se fera si les parents n'y opposent point. J'irai jamais contre eux, t'entends ben, jamais ! Je vas leur en toucher deux mots à la première fois que je retourne au pays. »

La semaine suivante en effet, ayant obtenu vingt-quatre heures de permission, il se rendit dans sa famille qui cultivait une petite ferme à Tourteville, près d'Yvetot.

Il attendit la fin du repas, l'heure où le café baptisé[2] d'eau-de-vie rendait les cœurs plus ouverts, pour informer ses ascendants qu'il avait trouvé une fille répondant si bien à ses goûts, à tous ses goûts, qu'il ne devait pas en exister une autre sur la terre pour lui convenir aussi parfaitement.

Les vieux, à ce propos, devinrent aussitôt circonspects[3], et demandèrent des explications. Il ne cacha rien d'ailleurs que la couleur de son teint.

C'était une bonne, sans grand avoir, mais vaillante, économe, propre, de conduite, et de bon conseil. Toutes ces choses-là valaient mieux que de l'argent aux mains d'une mauvaise ménagère. Elle avait quelques sous d'ailleurs, laissés par une femme qui l'avait élevée, quelques gros sous, presque une petite dot, quinze cents francs à la caisse d'épargne. Les vieux, conquis par ses discours, confiants d'ailleurs dans son jugement,

1. **Écaillère :** personne qui ouvre et vend des huîtres.
2. **Baptisé :** ici, auquel on a ajouté un petit peu d'eau-de-vie.
3. **Circonspects :** prudents, presque méfiants.

cédaient peu à peu, quand il arriva au point délicat. Riant d'un rire un peu contraint :

« Il n'y a qu'une chose, dit-il, qui pourra vous contrarier. Elle n'est brin blanche. »

Ils ne comprenaient pas et il dut expliquer longuement avec beaucoup de précautions, pour ne point les rebuter, qu'elle appartenait à la race sombre dont ils n'avaient vu d'échantillons que sur les images d'Épinal[1].

Alors ils furent inquiets, perplexes[2], craintifs, comme s'il leur avait proposé une union avec le Diable.

La mère disait : « Noire ? Combien qu'elle l'est ? C'est-il partout ? »

Il répondait : « Pour sûr : partout, comme t'es blanche partout, té ! »

Le père reprenait : « Noire ? C'est-il noir autant que le chaudron ? »

Le fils répondait : « Pt'être ben un p'tieu moins ! C'est noire, mais point noire à dégoûter. La robe à m'sieu l'curé est ben noire, et alle n'est pas plus laide qu'un surplis qu'est blanc. »

Le père disait : « Y en a-t-il de pu noires qu'elle dans son pays ? »

Et le fils, convaincu, s'écriait :

« Pour sûr ! »

Mais le bonhomme remuait la tête.

« Ça doit être déplaisant ? »

Et le fils :

« C'est point pu déplaisant qu'aut'chose, vu qu'on s'y fait en rin de temps. »

---

1. Créées par l'imprimeur J.-C. Pellerin à partir de 1800, ces images, issues de la fabrique d'Épinal dans les Vosges, étaient très populaires.
2. **Perplexes :** qui ne savent que penser.

La mère demandait :

« Ça ne salit point le linge plus que d'autres, ces piaux-là ?

– Pas plus que la tienne, vu que c'est sa couleur. »

Donc, après beaucoup de questions encore, il fut convenu que les parents verraient cette fille avant de rien décider et que le garçon, dont le service allait finir l'autre mois, l'amènerait à la maison afin qu'on pût l'examiner et décider en causant si elle n'était pas trop foncée pour entrer dans la famille Boitelle.

Antoine alors annonça que le dimanche 22 mai, jour de sa libération, il partirait pour Tourteville avec sa bonne amie.

Elle avait mis pour ce voyage chez les parents de son amoureux ses vêtements les plus beaux et les plus voyants, où dominaient le jaune, le rouge et le bleu, de sorte qu'elle avait l'air pavoisée[1] pour une fête nationale.

Dans la gare, au départ du Havre, on la regarda beaucoup, et Boitelle était fier de donner le bras à une personne qui commandait ainsi l'attention. Puis, dans le wagon de troisième classe où elle prit place à côté de lui, elle imposa une telle surprise aux paysans que ceux des compartiments voisins montèrent sur leurs banquettes pour l'examiner par-dessus la cloison de bois qui divisait la caisse roulante. Un enfant, à son aspect, se mit à crier de peur, un autre cacha sa figure dans le tablier de sa mère.

Tout alla bien cependant jusqu'à la gare d'arrivée. Mais lorsque le train ralentit sa marche en approchant d'Yvetot, Antoine se sentit mal à l'aise, comme au moment d'une inspection quand il ne savait pas sa

1. **Pavoisée :** ornée de drapeaux.

théorie[1]. Puis, s'étant penché à la portière, il reconnut de loin son père qui tenait la bride du cheval attelé à la carriole, et sa mère venue jusqu'au treillage qui maintenait les curieux.

Il descendit le premier, tendit la main à sa bonne amie, et, droit, comme s'il escortait un général, il se dirigea vers sa famille.

La mère, en voyant venir cette dame noire et bariolée en compagnie de son garçon, demeurait tellement stupéfaite qu'elle n'en pouvait ouvrir la bouche, et le père avait peine à maintenir le cheval que faisait cabrer coup sur coup la locomotive ou la négresse. Mais Antoine, saisi soudain par la joie sans mélange de revoir ses vieux, se précipita, les bras ouverts, bécota[2] la mère, bécota le père malgré l'effroi du bidet[3], puis se tournant vers sa compagne que les passants ébaubis[4] considéraient en s'arrêtant, il s'expliqua.

« La v'la ! J'vous avais ben dit qu'à première vue alle est un brin détournante, mais sitôt qu'on la connaît, vrai de vrai, y a rien de plus plaisant sur la terre. Dites-y bonjour qu'a ne s'émeuve point. »

Alors la mère Boitelle, intimidée elle-même à perdre la raison, fit une espèce de révérence, tandis que le père ôtait sa casquette en murmurant : « J'vous la souhaite à vot' désir. » Puis sans s'attarder on grimpa dans la carriole, les deux femmes au fond sur des chaises qui les faisaient sauter en l'air à chaque cahot de la route, et les deux hommes par-devant, sur la banquette.

Personne ne parlait. Antoine inquiet sifflotait un air de caserne, le père fouettait le bidet, et la mère regardait

1. **Théorie :** ce qu'on lui avait enseigné, les règles du service militaire.
2. **Bécota :** embrassa (familier).
3. **Bidet :** petit cheval.
4. **Ébaubis :** éberlués, ébahis.

de coin, en glissant des coups d'œil de fouine, la négresse dont le front et les pommettes reluisaient sous le soleil comme des chaussures bien cirées.

Voulant rompre la glace, Antoine se retourna.

« Eh bien, dit-il, on ne cause pas ?

– Faut le temps », répondit la vieille.

Il reprit :

« Allons, raconte à la p'tite l'histoire des huit œufs de ta poule. »

C'était une farce célèbre dans la famille. Mais comme sa mère se taisait toujours, paralysée par l'émotion, il prit lui-même la parole et narra, en riant beaucoup, cette mémorable aventure. Le père, qui la savait par cœur, se dérida aux premiers mots ; sa femme bientôt suivit l'exemple, et la négresse elle-même, au passage le plus drôle, partit tout à coup d'un tel rire, d'un rire si bruyant, roulant, torrentiel, que le cheval excité fit un petit temps de galop.

La connaissance était faite. On causa.

À peine arrivés, quand tout le monde fut descendu, après qu'il eut conduit sa bonne amie dans la chambre pour ôter sa robe qu'elle aurait pu tacher en faisant un bon plat de sa façon destiné à prendre les vieux par le ventre, il attira ses parents devant la porte, et demanda, le cœur battant :

« Eh ben, quéque vous dites ? »

Le père se tut. La mère plus hardie déclara :

« Alle est trop noire ! Non, vrai c'est trop. J'en ai eu les sangs tournés.

– Vous vous y ferez, dit Antoine.

– Possible, mais pas pour le moment. » Ils entrèrent et la bonne femme fut émue en voyant la négresse cuisiner. Alors elle l'aida, la jupe retroussée, active malgré son âge.

Le repas fut bon, fut long, fut gai. Quand on fit un tour ensuite, Antoine prit son père à part.

« Eh ben, pé, quéque t'en dis ? »

Le paysan ne se compromettait jamais.

« J'ai point d'avis. D'mande à la mé. »

Alors Antoine rejoignit sa mère et la retenant en arrière :

« Eh ben, ma mé, quéque t'en dis ?

– Mon pauv'e gars, vrai, alle est trop noire. Seulement un p'tieu moins je ne m'opposerais pas, mais c'est trop. On dirait Satan ! »

Il n'insista point, sachant que la vieille s'obstinait toujours, mais il sentait en son cœur entrer un orage de chagrin. Il cherchait ce qu'il fallait faire, ce qu'il pourrait inventer, surpris d'ailleurs qu'elle ne les eût pas conquis déjà comme elle l'avait séduit lui-même. Et ils s'en allaient tous les quatre à pas lents à travers les blés, redevenus peu à peu silencieux. Quand on longeait une clôture, les fermiers apparaissaient à la barrière, les gamins grimpaient sur les talus, tout le monde se précipitait au chemin pour voir passer la « noire » que le fils Boitelle avait ramenée. On apercevait au loin des gens qui couraient à travers champs comme on accourt quand bat le tambour[1] des annonces de phénomènes vivants. Le père et la mère Boitelle, effarés de cette curiosité semée par la campagne à leur approche, hâtaient le pas, côte à côte, précédant de loin leur fils à qui sa compagne demandait ce que les parents pensaient d'elle.

Il répondit en hésitant qu'ils n'étaient pas encore décidés.

1. On annonçait au tambour le passage d'attractions de foires ou de cirques (ex. : mouton à cinq pattes, femme à barbe).

GIL BLAS

ILLUSTRÉ, HEBDOMADAIRE

BOITELLE, par Guy de Maupassant

Dessin de Steinlen pour *Boitelle*, paru dans le *Gil Blas* du 2 avril 1893.
(Bibliothèque nationale de France, Paris.)

Mais sur la place du village ce fut une sortie en masse de toutes les maisons en émoi, et devant l'attroupement grossissant, les vieux Boitelle prirent la fuite et regagnèrent leur logis, tandis qu'Antoine soulevé de colère, sa bonne amie au bras, s'avançait avec majesté sous les yeux élargis par l'ébahissement.

Il comprenait que c'était fini, qu'il n'y avait plus d'espoir, qu'il n'épouserait pas sa négresse ; elle aussi le comprenait ; et ils se mirent à pleurer tous les deux en approchant de la ferme. Dès qu'ils y furent revenus, elle ôta de nouveau sa robe pour aider la mère à faire sa besogne ; elle la suivit partout, à la laiterie, à l'étable, au poulailler, prenant la plus grosse part, répétant sans cesse : « Laissez-moi faire, madame Boitelle », si bien que le soir venu, la vieille, touchée et inexorable[1], dit à son fils :

« C'est une brave fille tout de même. C'est dommage qu'elle soit si noire, mais vrai, alle l'est trop. J'pourrais pas m'y faire, faut qu'alle r'tourne, alle est trop noire. »

Et le fils Boitelle dit à sa bonne amie :

« Alle n'veut point, alle te trouve trop noire. Faut r'tourner. Je t'aconduirai jusqu'au chemin de fer. N'importe, t'éluge[2] point. J'vas leur y parler quand tu seras partie. »

Il la conduisit donc à la gare en lui donnant encore bon espoir et après l'avoir embrassée, la fit monter dans le convoi qu'il regarda s'éloigner avec des yeux bouffis par les pleurs.

Il eut beau implorer les vieux, ils ne consentirent jamais.

1. **Inexorable :** qu'on ne peut faire céder, inflexible.
2. **T'éluge point :** ne t'alarme pas. Voir p. 239.

Et quand il avait conté cette histoire que tout le pays connaissait, Antoine Boitelle ajoutait toujours :

« À partir de ça, j'ai eu de cœur à rien, à rien. Aucun métier ne m'allait pu, et j'sieus devenu ce que j'sieus, un ordureux. »

On lui disait :

« Vous vous êtes marié pourtant.

– Oui, et j'peux pas dire que ma femme m'a déplu pisque j'y ai fait quatorze éfants, mais c'n'est point l'autre, oh non, pour sûr, oh non ! L'autre, voyez-vous, ma négresse, alle n'avait qu'à me regarder, je me sentais comme transporté… »

(22 janvier 1889)

GENRES : récit de vie et choix narratifs*

L'ordre de la narration, le temps consacré à chaque épisode ainsi que sa mise en scène, c'est une hiérarchie qui se trouve ainsi instaurée et qui oriente le regard du lecteur.

1. À quel moment de la vie de Boitelle l'introduction et la conclusion correspondent-elles ? À quel moment correspond la partie centrale du récit ?

2. Représentez approximativement la vie de Boitelle sur une ligne des temps. Indiquez les parties de sa vie racontées dans le texte.

3. Quelles sont les deux parties de la vie de Boitelle qui ne sont pas du tout évoquées ?

4. Quel est le moment qui, en proportion, occupe la plus grande place dans le récit ? Quelle est la seule date précise donnée ? Pourquoi ?

5. D'où la négresse vient-elle ? Représentez sa vie sur une ligne des temps.

SOCIÉTÉ : le poids des mentalités

L'étrangère au village : qui l'accueille ? Qui la rejette ? À qui (ou à quoi) est-ce la faute ?

6. Dans quelle région l'histoire se déroule-t-elle ? Quelles sont les deux localités nommées ?

7. Quel rôle positif le service militaire joue-t-il dans la vie de Boitelle ?

8. Détaillez les sentiments successifs de Boitelle au cours de la journée du 22 mai.

9. Quelles sont, pour lui, les qualités supplémentaires de la négresse par rapport à une fille du pays ?

10. Relevez ce qui, dans le personnage de la négresse, choque les parents de Boitelle.

11. Quel rôle les villageois jouent-ils dans le refus de ces derniers ?

12. Montrez comment l'illustration de presse page 175 réunit différentes informations du texte et annonce le contenu de la nouvelle au lecteur du *Gil Blas*.

ÉCRIRE

13. Changement de point de vue : récrivez le passage « Il descendit le premier [...] des huit œufs de ta poule » (l. 212 à 246) :

a) du point de vue de la mère (vous commencerez par : « Je le vis descendre le premier... ») ;

b) du point de vue de Boitelle (vous commencerez par : « Je descendis le premier... »).

14. Un autre récit : « Ils ne consentirent jamais. » Vous vous êtes déjà heurté à un refus catégorique de vos parents. Racontez les circonstances. Quelles ont été vos réactions ?

Votre récit devra comporter un dialogue argumentatif.

L'UNIVERS DE L'ŒUVRE

Dossier documentaire et pédagogique

LE TEXTE ET SES IMAGES

ENFANTS : JEUX ET SOLITUDE (P. 2-3)

1. Relevez dans les tableaux 1 et 2 tous les éléments qui permettent d'opposer ces deux représentations de l'enfance.

2. Étudiez la composition du document 1 : cadrage, place des personnages, lignes, perspectives, couleurs, etc.

3. Procédez à la même étude pour le document 2.

4. Faites une comparaison des deux tableaux et des images que chacun donne de l'enfance.

5. De quels personnages ou de quelles scènes des nouvelles de ce recueil pouvez-vous rapprocher chacun de ces deux tableaux ?

LES FEMMES : DES IMAGES CONTRASTÉES (P. 4-5)

6. Définissez exactement la nature de chacun des documents 3, 4 et 5. En quoi leurs enjeux sont-ils différents ?

7. À quelles catégories sociales appartiennent les différentes femmes représentées ? Justifiez votre réponse.

8. Quel prénom, d'après les nouvelles de ce recueil, donneriez-vous au personnage du document 4 ?

9. Étudiez le cadrage et l'attitude de ce personnage : qu'est-ce qui produit une impression d'ouverture, de disponibilité et de détente ?

10. À partir de vos réponses aux questions 8 et 9, dites à quoi invite ce tableau.

11. Observez les attitudes et les expressions de ces femmes. Choisissez dans la liste suivante les termes qui s'appliquent à chacune d'elles : *instruction, tristesse, séduction, solidité, modernité, lassitude, élégance, respectabilité, résignation, frivolité, combativité, fragilité.*

SCÈNES FAMILIALES : LA PATERNITÉ REPRÉSENTÉE (P. 6-7)

Document 6

12. Les personnages ont pris la pose pour le peintre : observez la place et l'attitude choisie pour chaque membre de la famille.

13. Étudiez les regards des personnages.

14. Étudiez les couleurs et la lumière.

15. Une famille à histoires : faites des hypothèses à partir des âges des enfants, des personnes présentes ou absentes, des attitudes des personnages.

Document 7

16. À quel milieu social appartiennent les personnages ?

17. Décrivez l'attitude et l'activité de chacun. Essayez de définir leurs liens de parenté. Quel est, selon vous, le personnage dominant ?

Document 8

18. Quelle image provocatrice et humoristique cette photographie donne-t-elle des « nouveaux pères » du XXe siècle ?

LA NATURE ORDONNÉE, CADRE DE VIE DES PAYSANS (P. 8)

19. À quelles nouvelles de ce recueil ce tableau peut-il faire penser ?

20. Observez le cadrage et la perspective : quel est l'effet produit ?

21. Quels sont les éléments qui font de ce tableau l'opposé du tableau 4 p. 5 ?

QUAND MAUPASSANT ÉCRIVAIT…

La littérature, le feuilleton et la presse

La situation matérielle de l'écrivain a connu des changements considérables dans la première moitié du XIXe siècle. Alors qu'aux XVIIe et XVIIIe siècles, l'écrivain ne tirait aucun bénéfice financier de la vente de ses œuvres et devait, s'il n'avait pas de fortune personnelle, obtenir une pension du roi ou d'un puissant pour assurer sa subsistance, il peut désormais espérer vivre de sa plume.

L'ÉCRIVAIN ET LES JOURNAUX

À l'époque de Maupassant, l'écrivain peut compter sur deux formes de diffusion de ses œuvres : par la presse (sous forme de feuilleton) et par l'édition. Le nombre des lecteurs potentiels s'est accru. Dès 1836, Émile de Girardin lance *La Presse*, journal à grand tirage et bon marché (grâce à la publicité et aux petites annonces) ; il le rend ainsi accessible à un plus grand nombre. Par ailleurs, les progrès de l'instruction tout au long du XIXe siècle favorisent eux aussi l'essor de la presse et du livre. L'écrivain est rétribué à la ligne quand son œuvre est publiée dans la presse, et au nombre d'exemplaires vendus quand elle est éditée. La plupart des grands auteurs de l'époque ont utilisé ce double mode de diffusion.

Le journal de cette époque ne ressemble guère à celui que nous connaissons aujourd'hui : il compte quatre pages grand format et contient peu d'illustrations ; il offre au lecteur une chronique d'actualité, un feuilleton littéraire, des comptes rendus de concerts, des faits divers et surtout des échos (indiscrétions en tout genre). On comprend donc que les directeurs de journaux aient accordé une grande importance au choix d'un feuilleton qui pouvait contribuer à attirer le lecteur et à accroître les tirages. Déjà en 1844-1845, grâce au célèbre roman d'Eugène Sue *Le Juif errant*, *Le Constitutionnel* était passé de 3 600 à 20 000 abonnés.

Si **l'écrivain** pouvait compter sur le journal, le journal de son côté avait recours à l'écrivain. Le journalisme n'est pas encore considéré comme un métier. C'est seulement en 1899 que l'École supérieure de journalisme sera créée, et le journaliste apparaît souvent comme un écrivain raté. Bon nombre d'auteurs (Chateaubriand, Balzac, Barbey d'Aurevilly, etc.) trouvent dans la collaboration à un journal une source de revenus et, pour certains d'entre eux, une tribune où ils défendent leurs idées : ainsi Zola contribue-t-il à faire connaître le peintre Manet et prend-il la défense de Dreyfus dans le journal *L'Aurore* avec son célèbre article : « J'accuse ».

MAUPASSANT ET LA PRESSE

Ce double aspect du métier d'écrivain, nous le retrouvons chez Maupassant. C'est Zola qui, en 1878, l'incite à collaborer au quotidien *Le Gaulois* et à se libérer ainsi de son emploi au ministère de la Marine pour mieux se consacrer à son œuvre littéraire. Maupassant accepte, à condition que cela ne lui impose pas de contraintes :

« Je ne voudrais pas faire de chroniques régulières qui seraient forcément bêtes... Je ne voudrais faire que des articles que j'oserais signer et je ne mettrais jamais mon nom en bas d'une page écrite en moins de deux heures. »

(Lettre à sa mère du 3 avril 1878.)

En réalité, sa collaboration au *Gaulois* (lu surtout par le public mondain) et à *Gil Blas* (plus littéraire) sera régulière. On le comprend mieux quand on sait que Maupassant, employé de ministère, touchait 4 200 francs par an, alors qu'une chronique moyenne lui était payée 250 à 300 francs.

La plupart de ses nouvelles mais aussi ses romans (*Une vie*, *Bel-Ami*, etc.) seront publiés par les journaux avant d'être édités quelques mois plus tard. L'écrivain s'intéresse de près au lancement et à la vente de ses livres : il s'informe des tirages, des traductions, de la diffusion chez les libraires de province, vérifie les comptes de ses éditeurs, n'hésite pas à relancer ces derniers, voire à leur envoyer l'huissier...

Au total, ce système permet à Maupassant de vivre largement ; il peut aider ses parents, la veuve de son frère, des amis, voyager aussi et mener une vie mondaine bien remplie.

LES ÉDITIONS DES CONTES ET NOUVELLES

En nombre de pages, ces récits constituent la partie la plus importante de l'œuvre littéraire de Maupassant. Ils mettent en scène une foule de personnages variés : paysans normands, employés parisiens, militaires, prêtres, petits notables, nobles et grands bourgeois, artistes, prostituées et déshérités.

La plupart furent publiés en recueils du vivant même de Maupassant, sans qu'il se soucie d'apporter un ordre à la composition de ces volumes dont le titre est presque toujours celui de la première nouvelle. En fait, au fur et à mesure que les contes atteignaient un nombre suffisant, ils faisaient l'objet d'une publication, le plus souvent chez Ollendorff ou Havard. Mais Maupassant faisait jouer la concurrence : il traita avec huit éditeurs différents.

À sa mort demeuraient de nombreux inédits, qui n'avaient été publiés que dans des revues. L'intégralité des contes et nouvelles fut donnée seulement en 1957. On peut se demander encore aujourd'hui quel classement Maupassant aurait adopté s'il avait pu de son vivant veiller à une édition complète de ses œuvres.

Maupassant, qui aimait beaucoup raconter, a certainement pris plaisir à écrire ces courtes histoires. La « farce », pour reprendre une expression qu'il affectionnait, est qu'il est sans doute aujourd'hui moins célèbre pour ses romans que pour cette partie de son œuvre qu'il estimait le moins.

UNE ŒUVRE DE SON TEMPS ?

Famille et société au XIXe siècle

Maupassant naît en même temps que le Second Empire et l'avènement de Napoléon III. Il arrive à l'âge adulte avec la guerre franco-allemande de 1870-1871 et l'instauration de la IIIe République. La totalité de sa production littéraire se situe entre 1875 et 1890. En dépit du traumatisme qu'a constitué la défaite face à la Prusse et la répression exercée lors du soulèvement populaire de la Commune (mars-mai 1871), il n'y a pas de grande révolution dans la façon de vivre des Français de la seconde moitié du XIXe siècle, marquée par le souci de l'ordre, le respect de la tradition et la dureté impitoyable du monde du travail.

VIVRE AU XIXe SIÈCLE

La conjoncture économique et le régime autoritaire du Second Empire ont permis un développement sans précédent de l'industrie, de la banque et des affaires. C'est l'âge d'or de la bourgeoisie.

À Paris, la bourgeoisie a spéculé et investi dans les travaux de rénovation dirigés par Haussmann. De nouveaux quartiers se créent pendant que les classes populaires sont refoulées dans les faubourgs. Paris est la capitale du commerce. Le Bon Marché, le Printemps et la Samaritaine ouvrent leurs portes. Les expositions universelles exhibent les réalisations les plus modernes. Du grand industriel au commerçant, du haut fonctionnaire au petit employé, tous ont en commun le culte du travail et de l'argent. Les salariés de l'industrie sont de plus en plus nombreux. Ils sont mal payés, soumis à l'autorité patronale et policière, et ne bénéficient d'aucune protection sociale. Les conflits sociaux sont fréquents et les grèves aboutissent souvent à des affrontements.

En ville, le logement dépend entièrement des revenus. Pour les plus pauvres, pas de logis ou bien une chambre rudimentaire en « garni[1] » louée à la journée à plusieurs célibataires ou à toute une famille. En fonction de l'aisance, la location peut ensuite aller d'une ou deux pièces modestes en étage élevé à l'hôtel particulier des beaux quartiers, en passant par l'appartement bourgeois. Dès qu'on a un appartement décent, on se calfeutre : la bourgeoisie drape ses murs, surcharge la décoration, accumule meubles et bibelots. La peinture impressionniste avec ses scènes d'intérieur témoigne de ce plaisir bourgeois d'être bien chez soi et entre soi. Le temps des colonies, à la fin du siècle, développera aussi le goût de l'exotisme : c'est la mode des serres tropicales et des japonaiseries, mode à laquelle Maupassant lui-même n'échappe pas. De 1884 à 1889, dans son appartement parisien, il travaille dans une sorte de jardin d'hiver décoré à l'orientale et y donne des dîners japonais. C'est ce type de décor qu'évoque la scène d'effusion amoureuse des deux jeunes mariés de la nouvelle *L'Enfant*.

Malgré le développement du télégraphe et du chemin de fer, **la campagne**, elle, change peu. La France reste un pays fondamentalement agricole, même si les paysans peuvent tenter leur chance en ville comme ouvriers ou domestiques, ce que fait peut-être Charlot à la fin de la nouvelle *Aux champs.* La société rurale est diversifiée. Il y a peu de non-propriétaires, les différences sociales tiennent plus à la taille et à la richesse de chaque exploitation. En haut de la hiérarchie sociale, on trouvera le « Monsieur », noble ou bourgeois important, qui emploie une domesticité nombreuse, souvent gagée[2] à l'année et logée, aux fonctions spécialisées. C'est le cas probablement de Hautot dans *Hautot père et fils.* Vient ensuite le paysan aisé qui travaille en famille, aidé de quelques domestiques. Enfin ceux qui disposent d'une maison et de parcelles de terrain en échange de leur travail

1. Nous dirions aujourd'hui *en (hôtel) meublé.*
2. Les gages sont le salaire des domestiques.

chez les autres, ou qui complètent leurs revenus en joignant une occupation artisanale au travail de la terre. À côté de ceux qui vivent de la terre, il faut mentionner l'existence d'une bourgeoisie de village composée des commerçants, artisans, pharmaciens (comme Chouquet dans *La Rempailleuse*) et des notables : médecin, notaire, percepteur, maire et curé. Les marginaux de cette société fermée et âpre au gain sont les forains, chemineaux[1], artisans itinérants comme la rempailleuse.

L'habitat reflète cette hiérarchie. Pour les Tuvache et les Vallin dans *Aux champs*, c'est la masure au toit de chaume, mal aérée, sombre, parfois sans fenêtre, où une famille entière vit souvent dans une seule pièce. À l'extrême opposé, certaines grosses fermes prennent des allures de petits châteaux aux nombreux bâtiments et dépendances, comme la ferme de Hautot dans *Hautot père et fils*. Les matériaux varient selon les régions ; progressivement la tuile solide et durable remplacera le chaume moins coûteux, gardant la fraîcheur en été et la chaleur en hiver, mais plus fragile et dangereux en cas d'incendie.

Les loisirs, enfin, n'appartiennent qu'à ceux qui en ont le temps et les moyens (rappelons que les congés payés ne datent que de 1936...). Les nobles ou les bourgeois riches vont au cercle, aux courses, au spectacle, à l'Opéra, et en villégiature sur la côte normande ou sur la Côte d'Azur. Les petits employés se promènent aux environs de Paris le dimanche. C'est la mode du canotage et des déjeuners dans les guinguettes des bords de Seine représentés si souvent sur les tableaux des impressionnistes. Les ouvriers restent dans leurs faubourgs pour la promenade dominicale et vont au café. Dans les campagnes, les plus aisés font des parties de chasse régulières et des dîners entre notables. Les paysans se retrouvent aux veillées et lors des fêtes religieuses, à l'occasion des mariages ou des fêtes de fin de moisson.

---

1. **Chemineau :** homme qui court les chemins en vivant de petits travaux ou d'aumônes, à ne pas confondre avec le *cheminot*, employé des chemins de fer.

LE CODE CIVIL ET LA FAMILLE

Qu'en est-il de l'institution familiale au XIXe siècle ? **La Révolution française** a transformé les sujets en citoyens. Au nom de la Nature et de la Liberté, la Constitution a instauré le divorce le plus libéral de l'histoire : il est possible d'en faire la demande unilatérale[1] pour simple incompatibilité d'humeur. Ainsi on divorça beaucoup en 1793 : un divorce pour trois mariages à Paris et aussi de nombreux remariages ! Au nom des mêmes principes, on reconnaît aux enfants naturels reconnus les mêmes droits qu'aux enfants légitimes qui, eux-mêmes, ne sont plus soumis au droit d'aînesse ; en matière d'héritage, tous les successeurs sont égaux entre eux.

Sous le Consulat et l'Empire, **le 21 mars 1804, le Code civil**, voulu par Napoléon pour unifier le droit sur tout le territoire français, définit le statut du citoyen. Il confirme les acquis de la Révolution française, notamment pour l'interdiction du servage, la suppression des privilèges pour la succession, mais il maintient l'esclavage aux Colonies (rétabli depuis 1802) et complique la procédure de divorce. Il confirme le caractère absolu de la propriété et renforce l'autorité du père de famille, affaiblie par la Révolution, sur sa femme et ses enfants[2]. Ainsi le Code civil est-il un dispositif qui permet à l'État de régir la transmission des biens, les alliances et l'ordre social.

Après la Restauration (1815), la religion catholique redevenant religion d'État, tout droit au divorce est annulé et le restera à travers les changements de régimes politiques. Ce n'est qu'en 1884 que le divorce sera de nouveau autorisé (par la loi Naquet) : la bourgeoisie industrielle triomphante a besoin pour elle-même d'un mariage qui soit un contrat d'intérêts qu'on

1. **Unilatéral :** qui vient d'un seul côté.
2. Montlosier écrit dans les *Observations sur le projet de Code civil* : « La femme, les enfants mineurs, les serviteurs n'ont point de propriété car ils sont une propriété eux-mêmes : la femme parce qu'elle fait partie de l'homme, les enfants parce qu'ils en sont une émanation, les serviteurs parce que simples instruments – leur temps, leur peine, leur industrie, tout appartient au maître. »

puisse rompre ; pour ceux qu'elle emploie, elle préfère le mariage, même ouvert sur le divorce, à l'instabilité de l'union libre, très répandue dans les ménages ouvriers. Cependant l'accès au divorce reste très difficile, parce qu'on veut maintenir l'institution de la famille et l'autorité souveraine du père sur l'épouse et les enfants. En effet, la puissance maritale fait de la femme une éternelle mineure. Elle perd son patronyme[1] en se mariant. Elle doit obéir à son mari qui la protège comme on protège un enfant. Obligée de le suivre « partout où il juge de résider », elle ne peut sans son autorisation plaider en justice, vendre, acquérir ou disposer de ses biens personnels. C'est le mari seul qui exerce la puissance paternelle[2] et qui administre les biens de sa femme. Sans son autorisation, elle ne peut travailler ni utiliser son salaire (et cela pendant une bonne partie du XXe siècle). Le mari peut ouvrir son courrier et le détruire (jusqu'en 1938). L'inégalité flagrante établie entre les hommes et les femmes se retrouve dans la législation concernant l'adultère, législation que Maupassant a souvent dénoncée. L'homme n'est coupable d'adultère que s'il entretient notoirement[3] une maîtresse au domicile conjugal, en revanche la femme est coupable en tous lieux sur simple dénonciation. La sanction pénale pour l'homme se limite à une amende, alors que la femme encourt jusqu'à deux ans de prison. Même mort, le mari continue d'exercer sa puissance. La femme n'a aucun droit de succession, sauf sous tutelle. Le mari peut imposer un « conseil spécial » à sa veuve et, en cas de remariage, la femme est soumise à la décision du conseil de famille.

Quant aux **enfants**, ils sont soumis de la même façon à la **toute-puissance paternelle**. Rappelons le Code civil : « Les personnes privées des droits juridiques sont les mineurs, les femmes mariées, les criminels et les débiles mentaux »... L'enfant même majeur (à 21 ans) doit être « saisi d'un respect quasi sacré à la vue des auteurs de ses jours ». Il doit obéissance

1. **Patronyme :** nom de famille.
2. **Puissance paternelle :** pouvoir légal sur les enfants.
3. **Notoirement :** au vu et au su de tous.

à son père au-delà de sa majorité, notamment pour se marier. Ainsi le jeune Antoine se résigne-t-il, dans *Boitelle*, et Hautot suit-il fidèlement les recommandations de son père, dans *Hautot père et fils.* Le père a aussi le « pouvoir de correction paternelle » qui consiste, en cas de « mauvaise conduite » de l'enfant, à le faire emprisonner même très jeune pour quelque temps, ou même à le vouer à un enfermement psychiatrique définitif s'il le juge nécessaire[1].

Enfin le Code civil n'impose aucune obligation alimentaire aux pères à l'égard de leurs **enfants naturels**. L'avenir de l'enfant naturel, du « bâtard », dépendra du mariage éventuel de sa mère. C'est le cas de Simon dans *Le Papa de Simon*, ou bien du fils de Louise dans *Le Père.* Le baron de Mordiane (dans *Duchoux*) et Hautot (dans *Hautot père et fils*), tous deux pères d'enfants illégitimes, font figure d'hommes généreux, et Jacques Bourdillère (dans *L'Enfant*) d'original… Quant à Maupassant lui-même, il eut trois enfants naturels qui dirent avoir été choyés. Maupassant avait, semble-t-il, pris des dispositions pour les aider après sa mort. La famille de Maupassant, notamment sa mère, a toujours nié cette descendance, allant jusqu'à faire détruire toutes les traces matérielles de cette liaison.

La grossesse hors mariage est infamante. Elle entraîne très souvent le renvoi de son travail pour la future mère et le rejet par sa famille. À la campagne, les « filles-mères » sont souvent des domestiques placées loin de leur famille, qui se laissent séduire par des promesses de mariage. Puis elles cachent leur grossesse, avortent si elles le peuvent (l'avortement est interdit, pratiqué clandestinement et jugé en cour d'assises jusqu'en 1923). Affolées à l'idée de tout perdre, certaines recourent à l'infanticide (4 000 cas environ au milieu du XIXe siècle), bien qu'il soit

1. Ce n'est que récemment qu'on a découvert le caractère arbitraire de l'internement d'Adèle Hugo (une des filles de Victor Hugo) et de Camille Claudel (sculpteur et sœur de l'écrivain Paul Claudel). Les archives des prisons (par exemple celles de la Petite-Roquette à Paris) confirment d'ailleurs l'existence de ces enfermements d'enfants ordonnés par leur père.

passible de la peine de mort. Ainsi Blanchotte (dans *Le Papa de Simon*) doit-elle réparer sa « faute » par une conduite irréprochable, et Rose dans *Histoire d'une fille de ferme* accouche loin du village et cache l'existence de son enfant. Ni l'une ni l'autre n'ont abandonné leur enfant, mais elles vivent dans la peur des commérages ou de la perte de leur emploi : il y a eu « faute ». La situation est à peu près identique en ville : on peut avoir un enfant d'un homme dépourvu du sens des responsabilités, comme cela arrive à Louise dans *Le Père*, mais aussi du maître de maison quand on est domestique, ou du supérieur hiérarchique lorsqu'on est employée de magasin ou ouvrière à l'usine. De plus, une femme seule perd automatiquement son emploi dans ce cas, et quand bien même elle en retrouverait un, il est quasi impossible de travailler en ayant un enfant. En règle générale, les enfants naturels sont abandonnés. S'ils passent le cap de leur petite enfance, ils se retrouvent inévitablement en orphelinat (il y a très peu d'adoptions) ; rejetés, ils sont souvent emprisonnés pour des larcins, vont en « colonie correctionnelle » (bagne pour enfants).

L'ÉDUCATION ET LA PLACE DES FEMMES

En 1867, un rapport ministériel signale que 25 % des hommes et 41 % des femmes ne savent pas signer leur nom au moment du mariage. Pourtant, en 1833, la loi Guizot a établi l'enseignement primaire obligatoire, mais seulement pour les garçons. Le travail des enfants de moins de 8 ans dans les manufactures[1] a été interdit en 1841, mais cette loi n'est pas appliquée. En 1850, la loi Falloux prévoit une école de filles par commune de plus de 800 habitants, puis, en 1867, Victor Duruy l'étend aux communes de 500 habitants. Mais toutes sortes de mesures discriminatoires[2] et le coût de construction d'une seconde école par commune rendent difficile l'application

1. Nous dirions aujourd'hui *les usines.*
2. **Discriminatoires :** qui tendent à introduire des différences, ici défavorables aux femmes.

de ces lois. Enfin, **l'école primaire de 7 à 13 ans devient gratuite et obligatoire pour les deux sexes (1881-1882, lois Jules Ferry)**. L'objectif est de donner à tous une éducation laïque et républicaine, et un minimum d'instruction.

Mais si l'on est pauvre, on a beaucoup d'enfants qu'on n'envoie pas toujours à l'école parce qu'ils sont autant de bras pour la survie de la famille. En effet, les garçons de la campagne travaillent dès que leurs forces sont suffisantes et, ensuite, sont spécialisés dans les travaux agricoles. Quant aux filles, elles aident à s'occuper des enfants plus jeunes et assistent leur mère dans toutes ses tâches. Les bouches supplémentaires sont placées dans d'autres fermes comme Rose dans *Histoire d'une fille de ferme.* En ville, les ouvriers envoient leurs enfants en nourrice à la campagne et ne les reprennent que lorsqu'ils peuvent travailler à l'atelier ou à l'usine pour rapporter un salaire. En revanche, si l'on possède un peu de biens, on ne fera qu'un ou deux enfants pour ne pas diviser l'héritage. Dans les milieux aisés où la mère, seule ou aidée d'une domestique, est confinée à la maison, les enfants, le garçon surtout, deviennent des individus qu'on éduque et pour lesquels on nourrit des projets. Pour le garçon, c'est apprendre un métier ou succéder à son père ; ainsi, pour Hautot fils dans *Hautot père et fils*, ou pour Chouquet qui reprend la pharmacie paternelle dans *La Rempailleuse*. Pour la fille, c'est le mariage. En effet, la grande majorité des femmes va longtemps rester sans instruction ni formation professionnelle. C'est sur ces points, ainsi que sur l'amélioration des conditions de travail, que portent les revendications féminines de la seconde moitié du XIXe siècle.

Quelques dates montrent la lenteur de ces progrès : en 1867, premier cours d'enseignement secondaire pour jeunes filles ; en 1882, création du premier lycée de filles (en 1883, il y en aura deux pour 352 lycées de garçons). En 1874, interdiction du travail des enfants de moins de 12 ans dans les manufactures, et interdiction du travail de nuit pour les filles mineures. En 1892, journée de travail limitée à dix heures pour les moins de 16 ans et onze heures pour les femmes. Précisons qu'il faudra attendre le XXe siècle pour le premier baccalauréat féminin (1919, avec seulement en 1924 un programme identique pour les filles et les garçons).

En tout état de cause, si la réussite sociale est le but de l'instruction des garçons, la réussite des filles ne peut donc être que **le mariage**. C'est le grand événement, obligatoire, de la vie d'une femme. Dans les campagnes, le bon parti est la fille sérieuse, solide et travailleuse qui, de surcroît, peut apporter des terres en dot. Chez les ouvriers, qui n'ont pas de fortune personnelle à gérer, l'union libre est plus fréquente que le mariage. En revanche, dans les classes bourgeoises, le mariage est la grande affaire, qui nécessite un contrat. Les mariages arrangés sont les plus nombreux. Chacune des familles se renseigne sur l'« hérédité », l'honorabilité, les revenus, les opinions politiques et religieuses de l'autre famille. Dès qu'un accord intervient, les fiançailles sont célébrées, fiançailles de brève durée : deux à trois mois en moyenne, temps pendant lequel est établi le contrat signé devant notaire. Lors de la cérémonie nuptiale, la jeune épouse est mise en valeur : ce jour doit être le plus beau de sa vie. C'est d'ailleurs souvent aussi le jour d'un traumatisme : autant on a veillé de façon pointilleuse à sa moralité, autant on a veillé soigneusement à ce qu'elle ignore tout de la sexualité, comme Jeanne, l'héroïne d'*Une vie*, roman de Maupassant.

L'instruction des filles reflète ce qu'on attend d'elles dans la vie. À la campagne, l'école devra faire aimer la vie agricole et préparer à remplir les devoirs d'épouse et de mère. Il faudra pouvoir bien tenir la ferme, être bonne travailleuse, habile de ses mains, élever ses enfants dans les habitudes d'ordre, de propreté et d'économie. Pour tous les milieux, l'instruction est conçue comme une dot supplémentaire que la femme apportera à son ménage : être utile à son mari, veiller à l'éducation des enfants, être une bonne maîtresse de maison. À l'école, même une fille de milieu bourgeois n'apprendra que le strict nécessaire pour le bon ordre de la famille. Elle n'a besoin ni de latin ni de connaissances scientifiques spécialisées, mais d'un vernis de culture générale, d'arts d'agrément (dessin, musique) et d'une formation ménagère (cuisine, couture, hygiène, puériculture).

L'instruction que la femme a reçue à l'école ne la mène à un métier que si elle est seule, sans famille. Sinon, une femme n'a d'activité professionnelle que si ses parents ou son mari ont besoin de ce revenu supplémentaire : l'idéal est bien celui de la femme au foyer. Ainsi, **les femmes salariées** sont les journalières[1] pauvres des campagnes montées à la ville pour être ouvrières ou domestiques. À l'usine, sans qualification, elles sont employées aux tâches les plus pénibles, avec un salaire toujours au moins inférieur de moitié à celui de l'ouvrier et des journées de travail de quinze heures en moyenne. L'ouverture des grands magasins a créé de nouvelles activités pour les femmes, avec des salaires plus élevés mais des règlements très sévères (perte de l'emploi en cas de mariage, etc.). Les plus instruites peuvent devenir « demoiselles » des Postes ou institutrices, avec obligation de célibat et des salaires très bas.

La femme instruite qui écrit et veut se faire publier doit souvent prendre un nom d'homme, comme Aurore Dupin (George Sand) ou Marie d'Agoult (Daniel Stern). Certains destins sont tragiques : ainsi celui de Louise Michel, institutrice et révolutionnaire lors de la Commune de Paris, puis déportée en Nouvelle-Calédonie. Ou encore celui de Flora Tristan qui mena une vie de « paria » : bâtarde, ouvrière, contrainte par sa famille à épouser son patron, elle se sauve à 21 ans, enceinte pour la troisième fois. Seule, poursuivie par la haine de son mari protégé par la justice et la police et dont elle n'arrive pas à se séparer légalement, exilée en Angleterre puis au Pérou, elle enquête minutieusement sur la classe ouvrière et s'épuise à prêcher l'égalité des droits pour les femmes. Elle meurt à 40 ans à Bordeaux au cours d'une « tournée » militante.

D'autres femmes se sont battues pour exercer une profession « masculine ». Mlle Chauvin, première licenciée en droit en

1. Un journalier est un ouvrier agricole payé à la journée.

1890, voulant prêter serment au Barreau en 1897, doit attendre trois ans pour devenir avocate. Et Mlle Edwards, pourtant première femme reçue à l'externat de médecine en 1881, n'aura accès à cette fonction qu'au bout de six ans.

Ainsi, malgré l'avancée des droits sociaux et les lois sur l'instruction publique, la situation faite aux femmes du XIXe siècle explique combien leurs choix pouvaient être entravés et limités – d'où cette grande passivité devant leur destin que nous observons chez la plupart des héroïnes des nouvelles de Maupassant. On a souvent présenté Maupassant comme un auteur pessimiste : à y regarder de plus près, ce jugement mérite d'être nuancé. Est-ce du pessimisme que de montrer « tantôt comment les esprits se modifient sous l'influence des circonstances environnantes, tantôt comment se développent les sentiments et les passions, comment on s'aime, comment on se hait, comment on se combat dans tous les milieux sociaux, comment luttent les intérêts bourgeois, les intérêts d'argent, les intérêts de famille, les intérêts politiques » ? L'ambition de Maupassant a été de mettre en scène des êtres humains ordinaires, à un moment de leur vie, dans des situations relativement courantes. Il n'en livre pas d'interprétation, car selon lui : « Le romancier n'a pas à conclure, cela appartient au lecteur[1]. »

1. Chronique *Romans* dans *Gil Blas*, 26 avril 1882.

FORMES ET LANGAGES

La nouvelle

UN GENRE ANCIEN

Le premier recueil de nouvelles françaises est celui des *Cent Nouvelles Nouvelles*, textes anonymes de 1462 qui imitaient les *novelle* italiennes comme le *Decameron* de Boccace. Ce genre provient d'une tradition du texte court, celle du fabliau du Moyen Âge. Le contenu de ces textes est en général de type satirique, divertissant, voire grivois. Les récits sont brefs, leur structure est claire, et ils arrivent rapidement au dénouement.

Au XVIe siècle, Marguerite de Navarre avec *L'Heptaméron* ajoute à l'anecdote un intérêt plus moral et une expression plus littéraire et moins crue.

Au XVIIe siècle, la forme se modifie et, à la suite des *Nouvelles exemplaires* de Cervantès (1613), les textes s'allongent jusqu'à deux cents pages, avec des intrigues complexes et romanesques (pirates, enlèvements et duels). La nouvelle raconte alors des aventures et non plus une anecdote resserrée. Ces récits, appelés nouvelles au XVIIe siècle, sont maintenant nommés romans en raison de leur longueur.

Vers la fin du XVIIIe siècle, la nouvelle renaît avec Florian (1792) et Sade (1799) sous forme de récit bref au sujet restreint.

LE XIXe, SIÈCLE DE LA NOUVELLE

Les nouvelles sont publiées dans toute la presse, qui est en plein essor au XIXe siècle. Les écrivains de tous genres, de littérature populaire ou plus savante, et de toutes les écoles littéraires, en écrivent en grand nombre et les publient régulièrement dans tous les journaux et grandes revues françaises : *Le Siècle*, *Le Gaulois*, *Gil Blas*, *Le Temps*, *La Revue des Deux Mondes*, *La Nouvelle Revue*, *Le Mercure de France*. Tous les grands romanciers du XIXe siècle ont produit des recueils (qui sont toujours édités) : Hugo, *Le Dernier Jour d'un condamné* ; Balzac, *Ferragus*, *La Vendetta*, *Sarrasine*… ; Zola, *Contes à Ninon* ; Flaubert, *Trois Contes*. Citons encore George Sand, Alphonse Daudet, Barbey d'Aurevilly, Dumas, Gautier, etc. Les nouvellistes les plus connus sont Mérimée *(Colomba, La Vénus d'Ille, Mateo Falcone)* et Maupassant, le plus productif : 300 nouvelles !

Récit parfois amusant, souvent grave, ou fantastique, la nouvelle du XIXe siècle est un texte court, rapide et sans détails inutiles, qui se termine par une « chute » saisissante. Le sujet consiste la plupart du temps en une anecdote vraisemblable, et l'écriture met tout en œuvre pour accrocher et maintenir l'intérêt du lecteur.

LA NOUVELLE FRANÇAISE AU XXe SIÈCLE

Le genre de la nouvelle a pâti du succès du grand roman du début du siècle, ainsi que de la diminution constante du nombre de journaux. Ces dernières années, la presse a laissé peu d'espace à ces textes et les éditeurs ont publié peu de recueils. Actuellement, la nouvelle est plutôt perçue comme un genre anglo-saxon. En effet, la tradition américaine par exemple oblige un auteur à commencer par publier un ou deux recueils de nouvelles pour être reconnu par l'édition, qui favorise le récit court. En France aussi, le récit court revient à la mode. La recherche universitaire s'y est de nouveau intéressée, ainsi qu'à Maupassant, longtemps considéré comme un auteur secondaire. Les éditeurs ont publié des anthologies[1]. On a créé aussi des concours de nouvelles, des prix littéraires, un festival, et des revues spécialisées comme *Brèves*, *Le Serpent à plumes*.

1. **Anthologies :** recueils de nouvelles d'auteurs différents regroupées autour d'un même centre d'intérêt.

La longueur des nouvelles actuelles est variable. Les contenus sont du même type que ceux de la nouvelle du XIXe siècle : le genre policier, la science-fiction, le fantastique s'ajoutent aux sujets de la vie quotidienne. Certains auteurs ne racontent plus d'anecdotes mais peignent des moments de vie, des gestes, comme des instantanés regroupés dans des recueils qui leur donnent un sens. Enfin, la nouvelle est une source d'inspiration permanente pour le cinéma : citons les réalisations de Santelli pour Maupassant, Corman pour Edgar Poe, et plus récemment Altman avec *Short Cuts*, adaptation des nouvelles de l'Américain Raymond Carver.

LES CARACTÉRISTIQUES ESSENTIELLES DE LA NOUVELLE

La brièveté

La longueur peut varier mais reste toujours inférieure à celle d'un roman. Elle doit pouvoir être lue en une fois sans interruption pour que son effet ne se dilue pas dans le temps.

Le contenu et les personnages

L'action est rapide, les faits présentés en général comme vraisemblables. Le récit se centre autour d'un événement, ou d'un fait autour duquel s'organise toute sa structure.

Les personnages, peu nombreux, sont décrits souvent à un moment décisif de leur existence ou en suivant le fil directeur de leur vie. Leur portrait se réduit à quelques traits significatifs, et leur comportement est surtout étudié en face de l'événement.

Le romancier américain Philip Kindred Dick écrit en 1988 : « La différence entre nouvelle et roman se résume à ceci : quand la première traite du meurtre, le second se préoccupe du meurtrier, et l'action y prend sa source dans une personnalité que l'auteur a préalablement pris soin de présenter [...]. Dans une nouvelle, on apprend à connaître les personnages en se basant sur ce qu'ils font. »

Le but

D'abord, surprendre le lecteur : il faut en quelques pages apprivoiser, séduire, étonner et impressionner. Ensuite, faire réfléchir, d'où l'importance des « chutes* » ouvertes à la réflexion.

La convergence

Tous les éléments du texte concourent à l'effet d'ensemble. Les pauses*, le moindre mot même sont déterminants. Avec une grande économie de moyens, il faut organiser tout le contexte, y compris le décor, dans le même réseau de significations construit autour de l'événement central.

MAUPASSANT ET L'ART DE LA NOUVELLE

« Une nouvelle se boucle assez rapidement. On part d'un point A, on se rend à un point B. La nouvelle c'est un saut en parachute où il faut sauter à la bonne hauteur. Dans un roman, on a toujours le temps de corriger la trajectoire et de se rattraper en plein exercice. »

Cette comparaison de Paul Morand[1] souligne avec humour la difficulté du **texte court**. À première lecture, les nouvelles de Maupassant paraissent avoir été écrites sans effort, sans recherche apparente dans la construction et l'expression. C'est justement le résultat escompté, puisque la nouvelle « est faite pour être lue d'un seul coup, en une seule fois », selon la célèbre formule d'André Gide ; il faut donc que l'écriture en paraisse simple. Brièveté et simplicité résultent en fait d'un travail d'orfèvre et d'une maîtrise constante de l'écriture que le lecteur ne peut découvrir qu'en seconde lecture.

Le début d'une nouvelle est tout un art : la technique de Maupassant fait accéder le lecteur le plus vite possible au cœur du récit*. L'action commence souvent dès la première phrase : « Midi finissait de sonner. La porte de l'école s'ouvrit, et les gamins se précipitèrent en se bousculant pour sortir plus vite »

1. Propos recueilli dans *Les Nouvelles littéraires* n° 2466, janvier 1975.

(*Le Papa de Simon*). Le contexte reste le plus souvent esquissé dans une brève description qui ne retient que ce qui est essentiel à la logique du récit : « Devant la porte de la maison, demi-ferme, demi-manoir, une de ces habitations rurales mixtes qui furent presque seigneuriales et qu'occupent à présent de gros cultivateurs » (*Hautot père et fils*). Les personnages sont vite nommés et caractérisés : « Dans la grande salle à manger-cuisine, Hautot père, Hautot fils, M. Bermont, le percepteur, et M. Mondaru, le notaire, cassaient une croûte et buvaient un verre avant de se mettre en chasse, car c'était jour d'ouverture » (*Hautot père et fils*). L'usage des articles définis et des démonstratifs donne l'illusion d'un monde familier déjà connu du lecteur : « C'était à la fin du dîner de chasse chez le marquis de Bertrans » (*La Rempailleuse*).

D'autres procédés dans la suite du récit vont renforcer cette illusion de réalité. La technique de la description* stylise les paysages ou les intérieurs plutôt qu'elle ne les représente. Aucune n'est gratuite. Toutes appartiennent à l'action en provoquant ou justifiant les comportements ou les émotions des personnages.

De la même façon, Maupassant ne retient dans les **portraits** que les traits significatifs utiles au récit. Un visage évoque en quelques traits une émotion ou un tempérament : « le percepteur, un petit gros qui montrait sur ses joues rouges de minces réseaux de veines violettes pareils aux affluents et au cours tortueux des fleuves sur les cartes de géographie » (*Hautot père et fils*). Une silhouette indique un tempérament ou un mode de vie : « cette grande fille pâle qui restait sévère sur sa porte, comme pour défendre à un homme le seuil de cette maison où elle avait été déjà trahie par un autre » (*Le Papa de Simon*). Les gestes ne sont rapportés que lorsqu'ils sont révélateurs : « Mme d'Hubières, trépignant d'impatience » (*Aux champs*) ; « celui-ci, le tenant au bout de ses bras d'hercule, lui cria : – Tu leur diras, à tes camarades, que ton papa c'est Philippe Remy » (*Le Papa de Simon*). Les appellations ou les noms mêmes correspondent au rôle des personnages : Hautot père et fils, Mme Henri d'Hubières, la rempailleuse, par exemple. Maupassant estimait en effet que :

« Le romancier n'a jamais le droit de qualifier un personnage, de déterminer son caractère par des motifs explicatifs. ». « Quand on me dit : "Raoul est un misérable"» je ne m'émeus point, mais je tressaille si je vois ce Raoul se conduire comme un misérable[1]. » On ne rencontre jamais de jugement explicite sur les personnages, mais l'ironie perce souvent dans le choix d'un mot, l'organisation d'une phrase, ou la juxtaposition de deux faits : « affolé d'inquiétudes, avec la peur de cet enfant qui grandissait, il prit un parti suprême. Il déménagea, une nuit, et disparut » (*Le Père*) ; « quand elle eut rendu le dernier soupir. [...] Ils achevaient de déjeuner, en face l'un de l'autre, gros et rouges, fleurant les produits pharmaceutiques, importants et satisfaits » (*La Rempailleuse*).

Maupassant donne à voir ses personnages et donne aussi à les entendre : l'utilisation du **discours rapporté*** contribue à l'effet de réel. La fréquence du discours direct, la reproduction du patois normand, les niveaux de langue et les formes d'expression campent rapidement le lieu, le milieu social, les traits de caractères et les enjeux des discours : « Oh ! regarde, Henri, ce tas d'enfants ! Sont-ils jolis, comme ça, à grouiller dans la poussière ! » en face de : « J'dis qu'c'est point méprisable » (*Aux champs*). Dans le discours indirect et même dans le récit, des traces du langage des personnages apparaissent comme par contamination et participent à « l'illusion complète du vrai » voulue par Maupassant : « Il prenait vingt et un ans », « les parents voulurent tout de suite sortir le fieu dans le pays pour le montrer » (*Aux champs*).

« Faire vrai », ce n'est pas « transcrire servilement les faits dans le pêle-mêle de leur succession[1] ». Le **choix narratif*** s'impose encore plus dans la nouvelle que dans le roman. Ne sont racontés que les événements utiles à la logique du récit ; le temps n'est pas un temps linéaire, et Maupassant joue souvent sur des niveaux temporels multiples, recourant à la rétrospective* explicative, au sommaire* qui exprime et condense la

1. *Romans*, chronique parue dans *Gil Blas* du 1er mai 1882.

durée, accélérant la narration. « Des années s'écoulèrent » (*Le Père*) ; « Et toute sa vie s'écoula ainsi » (*La Rempailleuse*). Les changements constants dans le rythme de la narration sollicitent toujours l'attention et l'imagination. Ainsi une vie entière peut être évoquée en quelques pages sans lasser l'intérêt du lecteur pressé de connaître le dénouement.

La **chute*** est en général brutale ou inattendue. Elle tient parfois en une phrase brève, une parole : « Eh bien, nous l'élèverons, ce petit » (*L'Enfant*) ; ou une action à interpréter : « Et il disparut dans la nuit » (*Aux champs*). Ces chutes ne sont jamais arbitraires : même si on ne peut pas toujours leur trouver une signification univoque, elles ont été savamment préparées tout au long du récit, quand ce n'est pas dès le titre. Dans *L'Enfant*, le titre trouve son écho dans le dernier mot : « ce petit », et il constitue en fait le fil directeur du texte.

Tout l'art de Maupassant réside finalement dans le **principe de convergence** : la structure narrative de chaque nouvelle est au service d'une idée. Par exemple dans *Hautot père et fils*, les récits répétés de la mort du père préfigurent la reprise du rôle du père par le fils. La structure en deux volets de la nouvelle *Aux champs* exprime par elle-même son contenu. Les phénomènes de parallélismes, nombreux dans toutes ces nouvelles, tissent un réseau de significations qui oriente la compréhension du lecteur. À cela contribuent des objets (la pipe et le pain d'Hautot), des types de lieux (les « trous » d'eau ou de verdure, les seuils des portes), des situations en écho (la voiture dans *Aux champs*, les scènes d'agonie et d'amour dans *L'Enfant*), enfin des paroles répétées qui ponctuent les textes (« Je ne peux pas » dans *Histoire d'une fille de ferme* ; « Pas de papa » dans *Le Papa de Simon* ; « Païré » dans *Duchoux* ; « Oui, père » dans *Hautot père et fils*). C'est à cette convergence que les nouvelles de Maupassant doivent leur saisissante efficacité.

LES THÈMES

L'ARGENT

L'argent a normalement une valeur d'usage, il permet d'acquérir des objets ou des services. Les sommes sont souvent détaillées dans les récits. Voici quelques données permettant d'avoir une idée des sommes en jeu dans certaines nouvelles :

– Un employé de bureau gagnait à l'époque l'équivalent de 230 à 300 euros par an.
– Un ouvrier agricole gagnait l'équivalent de 90 à 105 euros par an.
– Un sou valait moins d'un centime d'euro.
– Un liard valait un quart de sou.

Mais il arrive aussi que l'argent soit utilisé pour **acheter les êtres humains ou leur affection**. Mme d'Hubières (*Aux champs*) « fait ses courses » à la campagne, repère l'enfant convoité, puis achète la bienveillance du groupe à coup de bonbons et piécettes ; elle passe ensuite à la négociation sérieuse. Ne trouvant pas tout de suite vendeur chez les Tuvache, elle se rabat sur le second choix (le petit Vallin) puis accepte l'augmentation du prix pour être sûre de pouvoir conclure l'affaire. Elle va même payer un supplément pour emporter son achat immédiatement.

Si Chouquet avait été à vendre, la rempailleuse l'aurait peut-être acheté sur-le-champ, mais ses faibles économies ne le lui permettent pas. Chouquet enfant regarde les sous avec « des yeux agrandis » et « rit de contentement » à la vue d'une grosse pièce de cinq francs. Bon commerçant, Chouquet, derrière son comptoir de pharmacien, encaisse régulièrement l'argent de la rempailleuse. Et, ne supportant pas qu'une somme d'argent ne rentre pas dans ses caisses, il récupère « du misérable argent de tous les pays et de toutes les marques, de l'or et des sous mêlés » plutôt que de le voir donné aux pauvres. Chouquet n'achète pas, ne dépense pas, il encaisse, il absorbe, il accumule. La rempailleuse accumule mais pour dépenser. Son argent achète d'abord quelques minutes le droit de toucher, d'embrasser, de caresser, gestes succédanés d'affection. Plus tard elle achète le droit de voir quelques minutes. Enfin elle achète par son legs le droit à une pensée *post mortem*. Sa vie d'amour et d'économies est convertie en obligations de chemin de fer par Chouquet pour qui rien ne se perd.

Mordiane (dans *Duchoux*) lui aussi, parce qu'il a versé une pension à son fils illégitime qui ne l'a jamais vu et ne connaît même pas son nom, s'imagine avoir droit à l'affection d'une famille qui adoucirait ses vieux jours. Inversement, Hautot père suppose que l'argent peut remplacer la reconnaissance sociale qu'il n'a pas accordée à sa seconde famille illégitime : « Je lui dois quelque chose, mais quelque chose de sérieux qui la mettra à l'abri. » Ainsi Caroline Donet a pour le fils exécuteur testamentaire « des égards excessifs, une humilité douloureuse, et des soins touchants comme pour lui payer en attention et dévouement les bontés qu'il avait pour elle ».

L'argent est un mode d'expression et **révèle la personne et les relations qu'elle entretient avec autrui**. Il peut aussi remplacer ces relations : Rose, privée de son enfant qui est loin d'elle, va se jeter dans le travail pour compenser ce manque et avoir une augmentation de salaire. Argent qu'elle n'obtient pas, car c'est elle qui finalement « vaut mieux que de l'or » ; elle rapportera « davantage que la plus belle dot du pays » à son patron qui veut l'épouser aussi pour les économies qu'elle lui fait réaliser.

L'argent permet d'avoir… ce qu'on voudrait bien être : avoir (acheté) un enfant au lieu d'être une mère, assurer une rente au lieu d'être un époux légal, donner des pièces au lieu d'être aimée… Quant à Chouquet, avoir toujours plus est sa raison d'être.

ENFANTS ET MÈRES

La présentation des **enfants** reflète leurs conditions de vie et leur mentalité. Les petits paysans pauvres apparaissent comme des marmots crasseux ou des polissons souvent cruels : la marmaille des Tuvache et Vallin (*Aux champs*) est gardée comme un troupeau d'oies, les camarades de Simon se comportent comme les poules d'une basse-cour. Simon fait exception : il est pâlot, propre et timide, ce qui s'explique par sa mise à l'écart forcée. Chouquet, fils de pharmacien, est bien propre, a un bel uniforme de collégien qui émerveille la rempailleuse en haillons. Quant à Louis dans *Le Père*, il est sage, bien élevé et gentil.

À un stade plus précoce, lorsque l'enfant paraît, il est en général un élément perturbateur, d'où des évocations peu flatteuses. Dans deux cas, l'annonce de la grossesse suffit à mettre en fuite le père. Les **nouveau-nés** ne semblent pas encore tout à fait humains : le bébé prématuré de Rose (*Histoire d'une fille de ferme*) n'a pas tout à fait pris chair (« squelette affreux, mains décharnées ») et forme humaine (« pattes de crabe ») ; et le bébé de Jacques Bourdillère (*L'Enfant*) s'annonce par des miaulements de chat.

Le très jeune enfant semble plus appétissant : il est rose, joufflu et potelé (*Histoire d'une fille de ferme*), il a des cheveux blonds frisés et des menottes (*Aux champs*). Mais il garde quelque chose d'animal – « un petit paquet de graisse vivante » (*Histoire d'une fille de ferme*) – et de peu engageant – joues sales, cheveux pommadés de terre comme le petit Tuvache que Mme d'Hubières veut prélever au sein de la marmaille grouillante des paysans (*Aux champs*).

Cependant des **mères** comme Mme d'Hubières ou Rose ont des transports de joie admirative en leur présence. Rose, émerveillée, se jette dessus comme sur une proie. Mme d'Hubières embrasse passionnément le petit Charlot. Les enfants sont pour elles des objets qu'on peut pétrir ou manipuler à plaisir, dévorer de baisers : des enfants « à croquer ». Ce comportement de mère dévoratrice caractérise deux femmes qui n'ont pas vraiment rompu avec leur enfance : Mme d'Hubières, encore enfant gâtée, épouse d'un homme qui, ne pouvant lui donner d'enfant, se conduit avec elle en père patient, et Rose, qui s'attendrit à l'évocation de son pays natal et de sa mère et se confie au bébé comme s'il était la mère qu'elle a perdue.

Une autre femme, qui sort à peine de l'enfance, accepte l'arrivée d'un enfant la nuit même de ses noces. Si Berthe prend dans ses bras l'enfant de son mari, c'est peut-être par compassion et peut-être aussi parce que son éducation l'a conditionnée à être épouse et mère. Dans la même unité de temps (une nuit), la vraie mère meurt, un enfant naît et une femme se retrouve avec un enfant avant même la consommation de son mariage – une épouse idéale, encore « pure » mais déjà mère. Veillée mortuaire, nativité et immaculée conception font de L'Enfant une nouvelle plus complexe qu'il n'y paraît.

PÈRES ET FILS

Dès que se pose un problème de filiation, les enfants sont individualisés dans les récits par un nom, un prénom, un portrait même rapide. Ce sont toujours des garçons. Rien d'étonnant, si l'on se rappelle que seul le garçon peut perpétuer le nom du père et donc d'une certaine façon la lignée familiale (voir p. 192). C'est donc essentiellement l'enfant naturel mâle, le « bâtard », qui est en jeu.

Ces nouvelles nous présentent une « galerie » de pères et de fils et un inventaire presque exhaustif des situations possibles.

Le cas le plus « simple » est celui des hommes qui ne veulent pas entendre parler des enfants qu'ils ont faits. La solution est la **fuite** et le déménagement rapide : on se sauve, sans laisser d'adresse, dès l'annonce de la grossesse. Ainsi s'enfuient le valet Jacques dans *Histoire d'une fille de ferme* et François Tessier dans *Le Père*.

Le baron de Mordiane, lui, assure anonymement par le biais d'un notaire l'existence matérielle de son fils. Il l'affuble du nom de « Duchoux », « afin qu'on n'ignorât point qu'il avait été trouvé sous un chou », rejetant ainsi d'autant plus cruellement sa paternité que le nom choisi est un mauvais jeu de mots qui pourra nuire à son fils.

Certains ne peuvent engendrer d'enfant : M. d'Hubières (*Aux champs*) et le maître-mari de Rose (*Histoire d'une fille de* *ferme*). Le premier fonctionne comme une sorte de père pour sa femme et lui achète le petit Jean Vallin. Le second tient à avoir un enfant, il a songé à adopter un orphelin, et en « trouve » un quand Rose lui avoue son secret. S'il en veut un, c'est pour ne pas rester seul dans ses vieux jours et être pris en charge par son héritier.

Le père Tuvache, qui avait en Charlot son successeur (ses autres enfants sont des filles), se voit rejeté et abandonné par son fils. Charlot ne lui pardonnera « jamais » d'avoir « fait son malheur » en le gardant, et rejette tout ce que sont ses parents. « J'aimerais mieux n'être point né que d'être ce que je suis » : Charlot ne voulant plus être le fils de son père, de fait, le renvoie au néant.

Quand le baron de Mordiane (*Duchoux*), bien tardivement, se sent en manque de famille et va voir son fils, il renonce à se faire reconnaître quand il réalise qu'il ne se reconnaît pas en celui-ci. Le fils rêvé devient une image de cauchemar et Mordiane s'enfuit une seconde fois devant sa paternité. Dans *Le Père*, la rencontre fortuite de son fils inspire à François Tessier vieillissant un sentiment subit de tendresse paternelle. Ce vieux garçon qui avait fui la paternité déborde d'une affectivité mal contrôlée lorsqu'il peut enfin embrasser son fils. Son comportement excessif et peu paternel effraie l'enfant qui le repousse. Faute d'avoir pris sa place de père quand il le fallait, François Tessier n'a plus qu'à s'enfuir une seconde fois.

Flamel (*Le Père*) fait, lui, partie des **pères légaux** : il protège la mère et le fils comme si c'était le sien. À l'opposé de François Tessier, il donne l'image de la maîtrise des situations. Philippe Remy (*Le Papa de Simon*) est le père qui adopte. Il a tous les gestes symboliques de la reconnaissance et de la protection paternelles : il pose sa main sur l'épaule de l'enfant, le conduit par la main, et à la fin il le soulève à bout de bras en le proclamant son fils. Jacques, dans *L'Enfant*, a un geste plus hésitant de présentation de l'enfant à sa jeune épouse.

Paradoxalement, la situation la plus conforme aux règles de la paternité légitime est aussi la plus trouble : Hautot père lègue sa paternité à son fils. Ce dernier, en fils obéissant, fumant la pipe paternelle et faisant sauter son petit frère sur ses genoux, prend la place de son père, non seulement à table, mais auprès de l'enfant, et vraisemblablement auprès de la mère de celui-ci. Cette situation, créée par la volonté du père et acceptée avec plaisir par le fils, s'imprègne d'une coloration incestueuse.

LE PIÈGE

Certaines situations reviennent régulièrement dans les récits. Les personnages de ces nouvelles vivent la plupart du temps dans un **univers fermé** soit géographiquement, soit socialement, soit encore moralement. Ils aimeraient s'en échapper, même momentanément. Or c'est quand ils trouvent un peu d'espace, un peu de liberté, un peu de plaisir, qu'ils se trouvent aussi piégés et enfermés, souvent dans une situation pire que la situation initiale.

Boitelle est sorti de Tourteville, il a découvert un certain bonheur au Havre ainsi qu'une femme exotique. « Alle n'avait qu'à me regarder, je me sentais comme transporté. » Il suffit qu'il retourne au village pour être enfermé entre les clôtures ou encerclé par un attroupement sur la place. Il se retrouve seul, sans goût de vivre : le jeune soldat fasciné par l'ailleurs finira « ordureux » avec quatorze enfants.

Louise (*Le Père*) rompt sa vie monotone de vendeuse vivant seule avec sa mère, mais en acceptant une promenade dans la campagne elle se retrouve enceinte et abandonnée. Rose (*Histoire d'une fille de ferme*) veut prendre l'air et se reposer, un dimanche, une fois son travail fini. Elle passe le seuil de la ferme, s'allonge dans l'herbe. Elle aussi se retrouve enceinte et abandonnée. Pour ces deux femmes, c'est la nature qui est source d'évasion et de plaisir en provoquant un engourdissement, un bien-être sensuel et une certaine béatitude, voire un hébétement. Par exemple, dans *L'Enfant*, caressés par l'air tiède du printemps, Jacques et Berthe deviennent incapables d'échanger une pensée. Rose et Louise, elles, dans leur creux de verdure, sont alanguies et perdent leurs défenses.

L'eau joue le même rôle ambigu : Rose s'y délasse après sa course échevelée, si bien qu'il lui vient l'envie de s'y reposer éternellement. En revanche Simon, venu pour s'y noyer, est distrait un temps de son projet par le spectacle de l'eau qui coule. Les **trous d'eau ou de verdure** apparaissent bien comme des images du piège qui attire et se referme sur celui qui tentait d'échapper à la monotonie de sa vie ou à une situation intenable.

Le **seuil** et son franchissement jouent un rôle similaire. Le franchissement d'un seuil est toujours à double sens : il est à la fois espérance et catastrophe. Mme d'Hubières franchissant le seuil des Tuvache puis des Vallin sème le désordre dans les deux familles. Charlot rejette ses parents dans l'oubli en franchissant le seuil de la porte (sur lequel il est resté pour voir passer Jean) et en même temps il se sauve, mais le piège de la nuit ne se referme-t-il pas sur lui ? Jacques, dans la même nuit fatale, franchit plusieurs seuils : il sort de son mariage, entre chez sa maîtresse mourante, en ressort avec un enfant, et retourne dans le mariage en ouvrant et refermant la porte sur lui. La Blanchotte hésite sur le seuil devant Philippe Remy, Hautot fils hésite avant de pousser la porte de la maison de Mlle Donet… Chaque nouvelle fait le récit d'une vie au moment où elle a basculé.

LE REJET

Il suffit d'être **différent** de ce que les autres attendent pour être rejeté, mis à l'écart, raillé ou même sacrifié. La négresse de Boitelle a toutes les qualités souhaitables : elle apporte une petite dot, elle est économe, vaillante, serviable et gaie. Mais tous ses efforts pour se faire accepter des parents de son fiancé seront vains. Elle ferait une bru idéale si sa différence n'était pas aussi voyante. Elle est « trop noire », expression répétée maintes fois par la mère de Boitelle. Certaines de ses qualités deviennent des défauts : on la voit trop, elle est trop bariolée, elle rit trop fort, presque comme un phénomène de cirque qui attire les foules et fait peur aux enfants. Les parents de Boitelle la trouvent « brave fille tout de même », mais on n'épouse pas un monstre. Sa couleur est un excès de la nature : « Seulement un p'tieu moins je ne m'opposerais pas, mais c'est trop », dit la mère.

L'ancienne maîtresse de Jacques dans *L'Enfant* est, elle aussi, **de trop** – un obstacle au mariage qu'il souhaite conclure. Il doit faire disparaître toute trace de cette « liaison, une de ces chaînes qu'on croit rompues et qui tiennent toujours ». Pour ce faire il la rejette totalement, affirme ignorer même son nom, et détruit avec colère sans les ouvrir toutes les lettres qui viennent d'elle. Lorsqu'il la revoit, c'est pour sa disparition « opportune » au moment de son mariage avec Berthe.

Un enfant en trop, c'est aussi ce qui isole la Blanchotte dans *Le Papa de Simon*. Malgré une conduite irréprochable, elle est pour les mères du village un objet de compassion et de mépris. Elle ne sort plus que pour aller à l'église et essaie de s'effacer le plus possible : « Vous comprenez bien pourtant qu'il ne faut plus que l'on parle de moi. » Les enfants du village reproduisent vis-à-vis de Simon l'attitude de leurs mères vis-à-vis de la Blanchotte, mais si la Blanchotte a un enfant en trop, le reproche qu'ils adressent à Simon est de ne pas avoir de papa, un **manque** qui l'apparente à « un phénomène, un être hors de la nature ». Ne pas avoir de père, c'est le « désastre irréparable ». Cette situation « monstrueuse » autorise les moqueries et les coups, qui poussent l'enfant au bord du suicide.

Dans le cas de la rempailleuse, c'est le manque de « logis planté en terre » qui l'exclut, ainsi que ses parents, de la communauté villageoise. Elle n'a même pas de nom et on lui jette des pierres. Si Chouquet avait su, il l'aurait « fait arrêter par la gendarmerie et flanquer en prison ». La seule chose qu'on accepte d'elle c'est sa mort et, bien sûr, ses économies.

Ces êtres différents sont au mieux tolérés aux marges des communautés. Leur survie ne tient qu'à un fil, encore doivent-ils savoir s'effacer, rester dans le mince espace qui leur est assigné pour faire oublier ce qu'ils ont en trop ou en moins.

Paradoxalement, Rose dans *Histoire d'une fille de ferme*, en avouant son secret – un enfant en trop – sauve sa vie quand son mari est prêt à la tuer parce que, à lui, il lui manque un enfant.

Pour une étude thématique du recueil

THÈMES / NOUVELLES	Adoption/bâtardise	Amour homme/femme	Argent	Enfance	Héritage	Mariage	Mères/enfants	Mort	Pères/fils	LIEUX: Ville	LIEUX: Campagne
Le Papa de Simon											
Histoire d'une fille de ferme											
L'Enfant											
La Rempailleuse											
Aux champs											
Le Père											
Le Retour											
Duchoux											
Hautot père et fils											
Boitelle											

1. Remplissez ce tableau pour les nouvelles que vous avez étudiées.

2. Quels thèmes vous paraissent dominants sur l'ensemble du recueil ?

3. Quelles associations entre thèmes reviennent le plus souvent ? En particulier, lesquelles vous paraissent concerner plutôt la ville ou plutôt la campagne ?

4. Dans une nouvelle de votre choix, classez les thèmes par ordre d'apparition dans le récit, puis par ordre d'importance. Que remarquez-vous ?

D'AUTRES TEXTES

Des existences marquées par le destin

SOPHOCLE, *ŒDIPE ROI*, VERS 425 AV. J.-C.

Dans la tragédie de Sophocle, Œdipe, roi de Thèbes, a convoqué le devin Tirésias pour découvrir par qui son prédécesseur, le roi Laïos, a été tué.

« TIRÉSIAS. – Tu règnes ; mais j'ai mon droit aussi, que tu dois reconnaître, le droit de te répondre point pour point à mon tour, et il est à moi sans conteste. Je ne suis pas à tes ordres, je suis à ceux de Loxias[1] ; je n'aurai pas dès lors à réclamer le patronage de Créon. Et voici ce que je te dis. Tu me reproches d'être aveugle ; mais toi, toi qui y vois, comment ne vois-tu pas à quel point de misère tu te trouves à cette heure ? et sous quel toit tu vis, en compagnie de qui ? – sais-tu seulement de qui tu es né ? – Tu ne te doutes pas que tu es en horreur aux tiens, dans l'enfer comme sur la terre. Bientôt, comme un double fouet, la malédiction d'un père et d'une mère, qui approche terrible, va te chasser d'ici. Tu vois le jour : tu ne verras bientôt plus que la nuit. Quels bords ne rempliras-tu pas alors de tes clameurs ? – quel Cithéron[2] n'y fera pas écho ? – lorsque tu comprendras quel rivage inclément fut pour toi cet hymen où te fit aborder un trop heureux voyage ! Tu n'entrevois pas davantage le flot de désastres nouveaux qui va te ravaler au rang de tes enfants ! Après cela, va, insulte Créon, insulte mes oracles : jamais homme avant toi n'aura plus durement été broyé du sort.

1. Surnom du dieu Apollon, « le tortueux ».
2. Montagne où Œdipe aveugle resta longtemps.

ŒDIPE. – Ah ! peut-on tolérer d'entendre parler de la sorte ? Va-t'en à la male heure, et vite ! Vite, tourne le dos à ce palais. Loin d'ici ! va-t'en !

TIRÉSIAS. – Je ne fusse pas venu de moi-même : c'est toi seul qui m'as appelé.

ŒDIPE. – Pouvais-je donc savoir que tu ne dirais que sottises ? J'aurais pris sans cela mon temps pour te mander jusqu'ici.

TIRÉSIAS. – Je t'apparais donc sous l'aspect d'un sot ? Pourtant j'étais un sage aux yeux de tes parents.

ŒDIPE. – Quels parents ? Reste là. De qui suis-je le fils ?

TIRÉSIAS. – Ce jour te fera naître et mourir à la fois.

ŒDIPE. – Tu ne peux donc user que de mots obscurs et d'énigmes ?

TIRÉSIAS. – Quoi ! tu n'excelles plus à trouver les énigmes ?

ŒDIPE. – Va, reproche-moi donc ce qui fait ma grandeur.

TIRÉSIAS. – C'est ton succès pourtant qui justement te perd.

ŒDIPE. – Si j'ai sauvé la ville, que m'importe le reste ?

TIRÉSIAS. – Eh bien ! je pars. Enfant, emmène-moi.

ŒDIPE. – Oui, certes, qu'il t'emmène ! Ta présence me gêne et me pèse. Tu peux partir : je n'en serai pas plus chagrin.

TIRÉSIAS. – Je pars, mais je dirai d'abord ce pour quoi je suis venu. Ton visage ne m'effraie pas : ce n'est pas toi qui peux me perdre. Je te le dis en face : l'homme que tu cherches depuis quelque temps avec toutes ces menaces, ces proclamations sur Laïos assassiné, cet homme est ici même. On le croit un étranger, un étranger fixé dans le pays : il se révélera un Thébain authentique – et ce n'est pas cette aventure qui lui procurera grand'joie. Il y voyait : de ce jour il sera aveugle ; il était riche : il mendiera, et, tâtant sa route devant lui avec son bâton, il prendra le chemin de la terre étrangère. Et, du même coup, il se révélera père et frère à la fois des fils qui l'entouraient, époux et fils ensemble de la femme dont il est né, rival incestueux aussi bien qu'assassin de son propre père ! Rentre à présent, médite mes oracles, et, si tu t'assures que je t'ai menti, je veux bien alors que tu dises que j'ignore tout de l'art des devins.

Il sort. Œdipe rentre dans son palais. »

SOPHOCLE, *Œdipe roi*, traduction de Paul Mazon, Collection des universités de France, Société d'édition « Les Belles Lettres », 1985.

QUESTIONS

1. Documentez-vous sur l'histoire de la famille d'Œdipe, les Labdacides.

2. Quels procédés Tirésias utilise-t-il (Tu règnes [...] du sort.) pour annoncer la vérité sans l'exprimer clairement ?

3. Comment Tirésias dit-il la vérité (Je pars, [...] devins.) ? Comparez avec le passage précédent (Tu règnes [...] du sort.).

4. Quels mots de Tirésias suscitent l'intérêt d'Œdipe ? Dans les nouvelles de Maupassant, quels personnages peuvent se poser des questions sur leurs origines ?

VOLTAIRE, *JEANNOT ET COLIN*, 1764

Voici l'ouverture d'un conte de Voltaire.

« Plusieurs personnes dignes de foi ont vu Jeannot et Colin à l'école dans la ville d'Issoire en Auvergne, ville fameuse dans tout l'univers par son collège, et par ses chaudrons. Jeannot était le fils d'un marchand de mulets très renommé, et Colin devait le jour à un brave laboureur des environs, qui cultivait la terre avec quatre mulets, et qui, après avoir payé la taille, le talion, les aides et gabelles, le sou pour livre, la capitation et les vingtièmes[1], ne se trouvait pas puissamment riche au bout de l'année.

1. **La taille [...] vingtième :** impôts de l'Ancien Régime.

Jeannot et Colin étaient fort jolis pour des Auvergnats ; ils s'aimaient beaucoup, et ils avaient ensemble de petites privautés[1], de petites familiarités, dont on se ressouvient toujours avec agrément quand on se rencontre ensuite dans le monde.

Le temps de leurs études était sur le point de finir, quand un tailleur apporta à Jeannot un habit de velours à trois couleurs, avec une veste de Lyon de fort bon goût : le tout était accompagné d'une lettre à monsieur de la Jeannotière. Colin admira l'habit, et ne fut point jaloux ; mais Jeannot prit un air de supériorité qui affligea Colin. Dès ce moment Jeannot n'étudia plus, se regarda au miroir et méprisa tout le monde. Quelque temps après, un valet de chambre arrive en poste[2] et apporte une seconde lettre à monsieur le marquis de la Jeannotière ; c'était un ordre de monsieur son père de faire venir monsieur son fils à Paris. Jeannot monta en chaise[3] en tendant la main à Colin avec un sourire de protection assez noble. Colin sentit son néant et pleura. Jeannot partit dans toute la pompe de sa gloire. »

VOLTAIRE, *Jeannot et Colin*, 1764.

QUESTIONS

1. Qu'est-ce qui, dans les deux premiers paragraphes, présente Jeannot et Colin comme quasiment semblables ? Quelle différence y a-t-il entre eux ?

2. Quels événements, dans le troisième paragraphe, perturbent leur amitié ?

3. Comment évolue chacun des deux garçons ? En quoi les deux dernières phrases résument-elles leur situation ?

4. Dans quelle nouvelle de Maupassant trouve-t-on la même structure binaire et un thème analogue ?

1. **Privautés :** gestes affectueux.
2. **Poste :** diligence.
3. **Chaise :** ici, un petit carrosse.

BAUDELAIRE, *LES FLEURS DU MAL*, 1861

C'est un animal qui est rejeté ici ; mais l'anecdote prend une valeur symbolique.

L'albatros

« Souvent, pour s'amuser, les hommes d'équipage
Prennent des albatros, vastes oiseaux des mers,
Qui suivent, indolents compagnons de voyage,
Le navire glissant sur les gouffres amers.

À peine les ont-ils déposés sur les planches,
Que ces rois de l'azur, maladroits et honteux,
Laissent piteusement leurs grandes ailes blanches
Comme des avirons traîner à côté d'eux.

Ce voyageur ailé, comme il est gauche et veule[1] !
Lui, naguère si beau, qu'il est comique et laid !
L'un agace son bec avec un brûle-gueule[2],
L'autre mime, en boitant, l'infirme qui volait !

Le Poète est semblable au prince des nuées
Qui hante la tempête et se rit de l'archer ;
Exilé sur le sol au milieu des huées,
Ses ailes de géant l'empêchent de marcher. »

Charles BAUDELAIRE, *Les Fleurs du mal*, II, 1861.

QUESTIONS

1. Relevez et classez les mots et expressions qui qualifient l'albatros de façon positive ou négative.

2. Comment se manifeste l'agressivité des marins ? Quelles en sont les raisons ?

3. Que symbolisent ici le navire, le voyage, les hommes d'équipage et l'oiseau lui-même ?

4. Comparez cette situation avec celle de Simon dans *Le Papa de Simon* : quels sont les points communs et les différences ?

1. **Veule :** lâche.
2. **Brûle-gueule :** pipe courte.

BALZAC, *LE COLONEL CHABERT*, 1832

Le colonel Chabert, après avoir été laissé pour mort sur le champ de bataille d'Eylau, réapparaît au bout de plusieurs années. Entre-temps, sa femme s'est remariée et a eu deux enfants. Devant témoin, elle vient d'affirmer ne pas reconnaître en lui son premier mari.

« "Monsieur, reprit la comtesse après une pause imperceptible, je vous ai bien reconnu !

– Rosine, dit le vieux soldat, ce mot contient le seul baume qui pût me faire oublier mes malheurs."

Deux grosses larmes roulèrent toutes chaudes sur les mains de sa femme, qu'il pressa pour exprimer une tendresse paternelle.

"Monsieur, reprit-elle, comment n'avez-vous pas deviné qu'il me coûtait horriblement de paraître devant un étranger dans une position aussi fausse que l'est la mienne ! Si j'ai à rougir de ma situation, que ce ne soit au moins qu'en famille. Ce secret ne devait-il pas rester enseveli dans nos cœurs ? Vous m'absoudrez, j'espère, de mon indifférence apparente pour les malheurs d'un Chabert à l'existence duquel je ne devais pas croire. J'ai reçu vos lettres, dit-elle vivement, en lisant sur les traits de son mari l'objection qui s'y exprimait, mais elles me parvinrent treize mois après la bataille d'Eylau ; elles étaient ouvertes, salies, l'écriture en était méconnaissable, et j'ai dû croire, après avoir obtenu la signature de Napoléon sur mon nouveau contrat de mariage, qu'un adroit intrigant voulait se jouer de moi. Pour ne pas troubler le repos de M. le comte Ferraud, et ne pas altérer les liens de la famille, j'ai donc dû prendre des précautions contre un faux Chabert. N'avais-je pas raison, dites ?

– Oui, tu as eu raison, c'est moi qui suis un sot, un animal, une bête, de n'avoir pas su mieux calculer les conséquences d'une situation semblable. Mais où allons-nous ? dit le colonel en se voyant à la barrière de La Chapelle.

– À ma campagne, près de Groslay, dans la vallée de Montmorency. Là, monsieur, nous réfléchirons ensemble au parti que nous devons prendre. Je connais mes devoirs. Si je suis à vous en droit, je ne vous appartiens plus en fait. Pouvez-vous désirer que nous devenions la fable de tout Paris ? N'instruisons pas le public de cette situation qui pour moi présente un côté ridicule, et sachons garder notre dignité. Vous m'aimez encore, reprit-elle en jetant sur le colonel un regard triste et doux ; mais moi, n'ai-je pas été autorisée à former d'autres liens ? En cette singulière position, une voix secrète me dit d'espérer en votre bonté qui m'est si connue. Aurais-je donc tort en vous prenant pour seul et unique arbitre de mon sort ? Soyez juge et partie. Je me confie à la noblesse de votre caractère. Vous aurez la générosité de me pardonner les résultats de fautes innocentes. Je vous l'avouerai donc, j'aime M. Ferraud. Je me suis crue en droit de l'aimer. Je ne rougis pas de cet aveu devant vous ; s'il vous offense, il ne nous déshonore point. Je ne puis vous cacher les faits. Quand le hasard m'a laissée veuve, je n'étais pas mère."

Le colonel fit un signe de main à sa femme, pour lui imposer silence, et ils restèrent sans proférer un seul mot pendant une demi-lieue. Chabert croyait voir les deux petits enfants devant lui.

"Rosine !

– Monsieur ?

– Les morts ont donc bien tort de revenir ?

– Oh ! monsieur, non, non ! Ne me croyez pas ingrate. Seulement, vous trouvez une amante, une mère, là où vous aviez laissé une épouse. S'il n'est plus en mon pouvoir de vous aimer, je sais tout ce que je vous dois et puis vous offrir encore toutes les affections d'une fille.

– Rosine, reprit le vieillard d'une voix douce, je n'ai plus aucun ressentiment contre toi. Nous oublierons tout, ajouta-t-il avec un de ces sourires dont la grâce est toujours le reflet d'une belle âme. Je ne suis pas assez peu délicat pour exiger les semblants de l'amour chez une femme qui n'aime plus."

La comtesse lui lança un regard empreint d'une telle reconnaissance, que le pauvre Chabert aurait voulu rentrer dans sa fosse d'Eylau. »

Honoré de BALZAC, *Le Colonel Chabert*, 1832, II.

QUESTIONS

1. Comment les deux personnages s'appellent-ils l'un l'autre ? Qu'en déduisez-vous ?
2. Faites la liste des arguments par lesquels la comtesse justifie son remariage.
3. Nommez les procédés argumentatifs de la comtesse.
4. Qui domine dans cette discussion ? Pour quelles raisons ?

QUESTIONS D'ENSEMBLE

1. Lesquels des quatre textes de ce groupement ont une visée argumentative ? Mettez-la en évidence.
2. Explicitez la situation d'énonciation dans les textes 2 et 3, puis dans les textes 1 et 4.

COMMENTAIRE

Vous ferez du poème de Baudelaire « L'Albatros » un commentaire organisé en vous appuyant notamment sur l'étude des symboles et des métaphores.

DISSERTATION

Peut-on convaincre en faisant appel à l'émotion ? Cette démarche vous paraît-elle légitime ? Vous nourrirez votre développement d'exemples littéraires et artistiques. Vous pouvez utiliser également le cinéma et la publicité.

ÉCRITURE D'INVENTION

Vous rédigerez les deux lettres que le père de Jeannot lui a envoyées à quelque temps de distance. N'oubliez pas de tenir compte des indications fournies par Voltaire dans le troisième paragraphe du texte.

L'ambivalence du discours dans le roman des XIXe et XXe siècles

FLAUBERT, *MADAME BOVARY*, 1857

Emma Bovary est enceinte.

« Emma, d'abord, sentit un grand étonnement, puis eut envie d'être délivrée, pour savoir quelle chose c'était que d'être mère. Mais, ne pouvant faire les dépenses qu'elle voulait, avoir un berceau en nacelle avec des rideaux de soie rose et des béguins[1] brodés, elle renonça au trousseau[2], dans un accès d'amertume, et le commanda d'un seul coup à une ouvrière du village, sans rien choisir ni discuter. Elle ne s'amusa donc pas à ces préparatifs où la tendresse des mères se met en appétit, et son affection, dès l'origine, en fut peut-être atténuée de quelque chose.

Cependant, comme Charles, à tous les repas, parlait du marmot, bientôt elle y songea d'une façon plus continue.

Elle souhaitait un fils ; il serait fort et brun ; elle l'appellerait Georges, et cette idée d'avoir pour enfant un mâle était comme la revanche en espoir de toutes ses impuissances passées. Un homme, au moins, est libre ; il peut parcourir les passions et les pays, traverser les obstacles, mordre aux bonheurs les plus lointains. Mais une femme est empêchée continuellement. Inerte et flexible à la fois, elle a contre elle les mollesses de la chair avec les dépendances de la loi. Sa volonté, comme le voile de son chapeau retenu par un cordon, palpite à tous les vents ; il y a toujours quelque désir qui entraîne, quelque convenance qui retient.

Elle accoucha un dimanche, vers six heures, au soleil levant.

– C'est une fille ! dit Charles.

Elle tourna la tête et s'évanouit.

Presque aussitôt, Mme Homais accourut et l'embrassa, ainsi que la mère Lefrançois du *Lion d'or*. Le pharmacien, en homme discret,

1. **Béguin :** petit bonnet.
2. **Trousseau :** ensemble du linge nécessaire pour le bébé.

lui adressa seulement quelques félicitations provisoires, par la porte entrebâillée. Il voulut voir l'enfant et le trouva bien conformé.

Pendant sa convalescence, elle s'occupa beaucoup à chercher un nom pour sa fille. D'abord elle passa en revue tous ceux qui avaient des terminaisons italiennes, tels que Clara, Louisa, Amanda, Atala ; elle aimait assez Galsuinde, plus encore Yseult ou Léocadie. Charles désirait qu'on appelât l'enfant comme sa mère ; Emma s'y opposait. On parcourut le calendrier d'un bout à l'autre, et l'on consulta les étrangers.

– M. Léon, disait le pharmacien, avec qui j'en causais l'autre jour, s'étonne que vous ne choisissiez point Madeleine, qui est excessivement à la mode maintenant.

Mais la mère Bovary se récria bien fort sur ce nom de pécheresse. [...]

Enfin, Emma se souvint qu'au château de la Vaubyessard elle avait entendu la marquise appeler Berthe une jeune femme ; dès lors ce nom-là fut choisi, et, comme le père Rouault ne pouvait venir, on pria M. Homais d'être parrain. »

Gustave FLAUBERT, *Madame Bovary*, 1857, II.

QUESTIONS

1. Comparez le comportement et les réactions d'Emma et Charles (Emma, d'abord, [...] s'évanouit.).

2. Quels sont les prénoms successivement envisagés pour le bébé ? sur quels critères ? Qu'est-ce qui détermine le choix final ?

3. Faites le portrait de l'enfant rêvé par Emma.

JULES VALLÈS, *L'ENFANT*, 1878

Jacques Vingtras vient d'échouer au baccalauréat. Grand lecteur, il veut écrire et devenir ouvrier imprimeur.

« "Jacques, il vaut mieux que tu ne te mettes pas à table avec nous."

Ma pauvre mère ne vit plus. Elle assiste chaque jour à des scènes pénibles.

Mon père me reproche le pain que je mange.

On m'apporte des provisions dans ma chambre, comme à un homme qui se cache.

"Oh ! je ne veux plus de cette vie ! Je veux repartir pour Paris.

– Dans ces habits ?" dit ma mère en regardant mes hardes[1].

Je serai donc toujours écrasé par mon costume !

Ah ! je partirai tout de même !

Mon père a eu vent de ce propos.

"S'il part, dis-lui que je le ferai arrêter[2] par les gendarmes."

[...]

Vous voulez faire de moi un gibier de prison, mon père ?

Il a donc le droit de me faire prendre[3], il a le droit de me traiter comme un voleur, il est maître de moi comme d'un chien...

"Jusqu'à ta majorité, mon garçon !"

Il a dit cela avec emportement, en tapant sur un livre qui s'appelle le Code ; je le retrouve le soir dans un coin, ce vieux livre. Je le lis en cachette, à la lueur du réverbère qui éclaire ma chambre.

"*Peut être enfermé, sur l'ordre de ses parents*, etc."

Me faire arrêter ? – Pourquoi ?

Parce que je ne veux pas qu'il dise que je ne gagne pas la pâtée que je mange, – parce que je ne veux pas qu'il s'amuse à me frapper, moi qui pourrais le casser en deux, – parce que je veux avoir un état[4] et que ça l'humilie de penser que lui, qui a tant lutté pour avoir une *toge*[5] roussie, il aura un fils qui aura une cotte[6], un bourgeron[7] !

Il me fera mettre les menottes peut-être et ordonnera aux gendarmes de serrer dur si je résiste. Et cela, parce que je ne veux pas être professeur comme lui.

---

1. **Hardes :** vêtements en mauvais état.
2. Jules Vallès fut interné en asile psychiatrique à la demande de son père. Ses amis réussirent à l'en sortir au bout de quelques mois (voir p. 191-192).
3. **Prendre :** incarcérer.
4. **État :** situation, métier.
5. **Toge :** robe comme celle des avocats ou des juges que les professeurs portaient dans les circonstances solennelles.
6. **Cotte :** salopette de travail en toile bleue.
7. **Bourgeron :** veste de travail en toile.

Je comprends. C'est que j'insulte toute sa vie en déclarant que je veux retourner au métier comme nos grands-parents ! Dire que je désire entrer en atelier, c'est dire qu'il a eu tort de lâcher la charrue et l'écurie. »

Jules VALLÈS, *L'Enfant*, 1878, XXIV.

QUESTIONS

1. À quelles conditions de vie Jacques est-il réduit ?

2. Sur quoi précisément portent les reproches de son père ?

3. Relevez les mots et les tournures qui soulignent la détermination du jeune homme.

CÉLINE, *VOYAGE AU BOUT DE LA NUIT*, 1932

Le narrateur, médecin débutant en banlieue parisienne, est appelé par un grand-père pour son petit-fils.

« Je me souvenais bien de sa fille aussi, à lui, une autre gaillarde, flétrie déjà, mais solide et silencieuse, qui était revenue pour avorter, à plusieurs reprises chez ses parents. On ne lui reprochait rien à celle-là. On aurait seulement voulu qu'elle finisse par se marier en fin de compte, surtout qu'elle avait déjà un petit garçon de deux ans à demeure chez les grands-parents.

Il était malade cet enfant pour un oui, pour un non, et quand il était malade, le grand-père, la grand-mère, la mère pleuraient ensemble, énormément, et surtout parce qu'il n'avait pas de père légitime. C'est dans ces moments-là qu'on est le plus affecté par les situations irrégulières dans les familles. Ils croyaient les grands-parents sans se l'avouer tout à fait, que les enfants naturels sont plus fragiles et plus souvent malades que les autres.

Enfin, le père, celui qu'on croyait du moins, il était bel et bien parti pour toujours. On lui avait tellement parlé de mariage à cet homme, que ça avait fini par l'ennuyer. Il devait être loin à présent, s'il courait encore. Personne n'y avait rien compris à cet abandon et surtout la fille elle-même, parce qu'il avait pris pourtant bien du plaisir à la baiser.

Donc, depuis qu'il était parti le volage[1] ils contemplaient tous les trois l'enfant en pleurnichant et puis voilà. Elle s'était donnée à cet homme comme elle disait « corps et âme ». Cela devait arriver, et d'après elle devait suffire à tout expliquer. Le petit en était sorti de son corps et d'un seul coup et l'avait laissée toute plissée autour des flancs. L'esprit est content avec des phrases, le corps c'est pas pareil, il est plus difficile lui, il lui faut des muscles. C'est quelque chose de toujours vrai un corps, c'est pour cela que c'est presque toujours triste et dégoûtant à regarder. J'ai vu, c'est vrai aussi, bien peu de maternités emporter autant de jeunesse d'un seul coup. Il ne lui restait plus pour ainsi dire que des sentiments à cette mère et une âme. Personne n'en voulait plus.

Avant cette naissance clandestine la famille demeurait dans le quartier des « Filles du Calvaire » et cela depuis bien des années. S'ils étaient venus tous s'exiler à Rancy, c'était pas par plaisir, mais pour se cacher, se faire oublier, disparaître en groupe.

Dès qu'il fut devenu impossible de dissimuler cette grossesse aux voisins ils s'étaient décidés à quitter leur quartier de Paris pour éviter tous commentaires. Déménagement d'honneur.

À Rancy, la considération des voisins n'était pas indispensable, et puis d'abord ils étaient inconnus à Rancy, et puis la municipalité de ce pays pratiquait justement une politique abominable, anarchiste pour tout dire, et dont on parlait dans toute la France, une politique de voyous. Dans ce milieu de réprouvés le jugement d'autrui ne saurait compter.

La famille s'était punie spontanément, elle avait rompu toute relation avec les parents et les amis d'autrefois. Pour un drame, ç'avait été un drame complet. Plus rien à perdre qu'ils se disaient. Déclassés. Quand on tient à se déconsidérer on va au peuple.

Ils ne formulaient aucun reproche contre personne. Ils essayaient seulement de découvrir par poussées de petites révoltes invalides[2] ce que le Destin pouvait bien avoir bu le jour où il leur avait fait une saleté pareille, à eux.

1. **Volage :** coureur de jupons.
2. **Invalides :** sans énergie.

La fille n'éprouvait à vivre à Rancy, qu'une seule consolation, mais très importante, celle de pouvoir parler librement à tout le monde désormais de « ses responsabilités nouvelles ». Son amant en la désertant, avait réveillé un désir profond de sa nature entichée[1] d'héroïsme et de singularité. Dès qu'elle fut assurée pour le reste de ses jours de ne jamais avoir un sort absolument identique à la plupart des femmes de sa classe et de son milieu et de pouvoir toujours en appeler au roman de sa vie saccagée dès ses premières amours, elle s'accommoda du grand malheur qui la frappait, avec délices, et les ravages du sort furent en somme dramatiquement bienvenus. Elle pavoisait[2] en fille-mère. »

Louis-Ferdinand CÉLINE, *Voyage au bout de la nuit*, Gallimard, 1932.

QUESTIONS

1. Les voix narratives : en observant la typographie et les registres de langue, repérez précisément le point de vue* du narrateur, des parents et de la mère.

2. Comment passe-t-on d'un paragraphe au suivant ? Repérez les associations logiques et les informations répétées.

3. Quels sont les deux portraits possibles de la jeune femme, par le narrateur et par elle-même ?

MARGUERITE DURAS, *L'AMANT*, 1984

Marguerite, âgée de quinze ans et demi, a rencontré un Chinois qui est devenu son amant.

« À cette époque-là, de Cholen[3], de l'image[4], de l'amant, ma mère a un sursaut de folie. Elle ne sait rien de ce qui est arrivé à

1. **Entichée :** folle de.
2. **Pavoisait :** paradait.
3. Quartier de Saigon en Indochine française (actuellement Hô Chi Minh-Ville au Viêtnam) où Marguerite retrouvait son amant chinois.
4. **De l'image :** image mentale qu'elle a gardée d'elle-même à la première rencontre avec l'amant.

Cholen. Mais je vois qu'elle m'observe, qu'elle se doute de quelque chose. Elle connaît sa fille, cette enfant, il flotte autour de cette enfant, depuis quelque temps, un air d'étrangeté, une réserve, dirait-on, récente, qui retient l'attention, sa parole est plus lente encore que d'habitude, et elle si curieuse de tout elle est distraite, son regard a changé, elle est devenue spectatrice de sa mère même, du malheur de sa mère[1], on dirait qu'elle assiste à son événement. L'épouvante soudaine dans la vie de ma mère. Sa fille court le plus grand danger, celui de ne jamais se marier, de ne jamais s'établir dans la société, d'être démunie devant celle-ci, perdue, solitaire. Dans des crises ma mère se jette sur moi, elle m'enferme dans la chambre, elle me bat à coups de poing, elle me gifle, elle me déshabille, elle s'approche de moi, elle sent mon corps, mon linge, elle dit qu'elle trouve le parfum de l'homme chinois, elle va plus avant, elle regarde s'il y a des taches suspectes sur le linge et elle hurle, la ville à l'entendre, que sa fille est une prostituée, qu'elle va la jeter dehors, qu'elle désire la voir crever et que personne ne voudra plus d'elle, qu'elle est déshonorée, une chienne vaut davantage. Et elle pleure en demandant ce qu'elle peut faire avec ça, sinon la sortir de la maison pour qu'elle n'empuantisse plus les lieux.

Derrière les murs de la chambre fermée, le frère.

Le frère répond à la mère, il lui dit qu'elle a raison de battre l'enfant, sa voix est feutrée, intime, caressante, il lui dit qu'il leur faut savoir la vérité, à n'importe quel prix, il leur faut la savoir pour empêcher que cette petite fille ne se perde, pour empêcher que la mère en soit désespérée. La mère frappe de toutes ses forces. Le petit frère crie à la mère de la laisser tranquille. Il va dans le jardin, il se cache, il a peur que je sois tuée, il a peur, il a toujours peur de cet inconnu, notre frère aîné. La peur du petit frère calme ma mère. Elle pleure sur le désastre de sa vie, de son enfant déshonorée. Je pleure avec elle. Je mens. Je jure sur ma vie que rien ne m'est arrivé, rien même pas un baiser. Comment veux-tu, je dis, avec un Chinois, comment veux-tu que je fasse ça avec un Chinois, si laid, si malingre ? Je sais que le frère aîné

1. La mère, veuve, est dans une situation matérielle et financière difficile.

est rivé à la porte, il écoute, il sait ce que fait ma mère, il sait que la petite est nue, et frappée, il voudrait que ça dure encore et encore jusqu'au danger. Ma mère n'ignore pas ce dessein de mon frère aîné, obscur, terrifiant. »

Marguerite DURAS, *L'Amant*, éd. de Minuit, 1984.

QUESTIONS

1. La famille : qu'est-ce qui motive le comportement de chaque personne ?

2. Relevez les sujets des verbes. Quelle catégorie grammaticale domine ? Qui agit dans le premier paragraphe ? Qui agit dans le troisième ?

3. En vous appuyant sur les différentes désignations de Marguerite, dites précisément qui parle et qui voit.

4. Observez attentivement la ponctuation, le rythme des phrases et les sonorités, puis lisez le texte à voix haute.

QUESTIONS D'ENSEMBLE

Étudiez le fonctionnement du récit et du discours rapporté dans ces quatre textes. Mettez en évidence l'importance respective de l'un et de l'autre.

COMMENTAIRE

Vous ferez un commentaire de l'extrait de *Madame Bovary*. Vous vous appuierez sur vos réponses aux questions sur le texte. Vous prêterez également attention aux figures de style et à l'utilisation du discours rapporté.

DISSERTATION

Les histoires de famille : quel beau sujet pour un romancier ou un dramaturge ! Vous choisirez quelques œuvres pour soutenir ce point de vue.

ÉCRITURE D'INVENTION

Vous écrirez un article de journal polémique sur un thème de votre choix en rapport avec l'un au moins des textes du corpus (droit des mineurs, images des femmes, violence familiale, etc).

LECTURES DE *L'ENFANT* ET AUTRES HISTOIRES DE FAMILLE

À la parution des Contes

Les *Contes* de Maupassant ont suscité à leur parution des réactions enthousiastes ou scandalisées.

> « [...] L'*Histoire d'une fille de ferme* surtout a un début superbe de largeur. Ce qui me ravit dans ces œuvres, c'est leur belle simplicité. En somme, Maupassant reste, dans son nouveau livre, l'analyste pénétrant, l'écrivain solide de *Boule de suif.* C'est à coup sûr un des tempéraments les plus équilibrés et les plus sains de notre jeune littérature. »
>
> Émile Zola, in *Le Figaro*, 11 juillet 1881.

> « À quoi bon se donner tant de mal pour étudier des êtres aussi peu dignes d'intérêt ? Ces âmes dépravées ne sont plus capables que d'un petit nombre de sentiments, qui tiennent tous de l'animalité. Le tour en est bientôt fait, et l'auteur a beau s'être armé d'une analyse très pénétrante : où il n'y a rien le roi perd ses droits.
>
> Francisque SARCEY, in *Le XIX*[e] *siècle*, 4 juillet 1882.

> « Certes M. Guy de Maupassant a du talent, beaucoup de talent, et l'on en trouve des traces dans les *Contes de la bécasse* comme dans tout ce qu'il écrit. Voilà pourquoi précisément nous reprochons à son dernier volume l'emploi de procédés indignes d'un écrivain de race. À quoi bon des mots à effet, des couleurs aveuglantes, des trucs de féeries, un attirail de charlatan, quand on n'a pas besoin d'appeler le public, qui vient tout seul, attiré par la sympathie, par l'attrait de la force et de la grâce ? [...] À quoi bon ces grivoiseries qu'on devrait laisser à leur place, c'est-à-dire dans les recueils que nous ont légués les vieux conteurs de jadis ?
>
> A. Z., in *Le Siècle*, 13 octobre 1883.

« Dans ses courts récits, dont chacun forme pourtant un tout complet, il arrive à toucher à tous les sujets de la vie moderne, à la représenter sous ses aspects multiples, tantôt burlesque, tantôt tragique, tantôt odieuse ou misérable. Son style, d'une facilité qui n'a rien de « lâché », se prête merveilleusement à la variété des sujets qu'il traite, et, quelque monde qu'il décrive, est toujours approprié aux personnages et aux milieux.

Édouard ROD, in *Revue contemporaine*, 1885.

« […] je ne saurais dire avec quel vif chagrin, avec quel amer chagrin je vois M. Guy de Maupassant éparpiller ainsi en des pages détachées, que le vent emporte, un talent si vigoureux, un style si sain, si robuste, si pittoresque. […] M. Guy de Maupassant est peut-être, de tous les prosateurs contemporains, celui qui possède la langue la plus personnelle, ample à la fois et éclatante. »

Francisque SARCEY, in *Nouvelle Revue*, 1886.

« Maupassant avait du talent, c'est-à-dire un don d'attention qui lui permettait de découvrir dans les choses et dans les manifestations de la vie les côtés qui leur sont propres mais qui restent invisibles aux autres hommes. Il possédait également la beauté de la forme, c'est-à-dire il exprimait clairement, simplement et artistiquement ce qu'il voulait dire. Enfin, il possédait cette condition nécessaire à la création de toute œuvre d'art et sans laquelle elle ne produit aucune action : la sincérité ; c'est-à-dire, il ne feignait pas d'aimer ou de haïr, mais il aimait et haïssait réellement ce qu'il décrivait. Malheureusement, étant dépourvu de la première condition, sinon de l'essentielle, qui donne de la valeur à l'œuvre d'art, du rapport normal et moral entre lui et ce qu'il dépeignait, c'est-à-dire de la faculté de distinguer entre le bien et le mal, il aimait et dépeignait ce qu'il ne fallait pas aimer et dépeindre, et il n'aimait pas et ne dépeignait pas ce qu'il fallait aimer et dépeindre. »

Léon TOLSTOÏ, *Zola, Dumas, Guy de Maupassant*, 1896.

Le xxe siècle et la modernité de Maupassant

La critique littéraire contemporaine s'intéresse à la modernité du style de Maupassant.

« Au mot, comparable à toute matière première, couleur, métal ou pierre, qui, dans les autres ordres de la création artistique, impose la nécessité d'un choix si scrupuleux, aux mots choisis et composés entre eux d'une façon attentive, revenait dans l'élaboration de la « vision » un rôle décisif. Celui que ne se lassa d'affirmer Maupassant. Le mot et la phrase, véhicules de toute sensation à communiquer, donc dépositaires de la substance même de l'« illusion » étaient soumis à une sévère discipline : aucune valeur absolue ne leur était reconnue ; leur prix, ils ne le tiraient que d'une stricte convenance à la magique suggestion qu'ils devaient opérer. Cette convenance supposait d'abord une justesse, ennemie de toute complaisance, de toute coquetterie et de toute gratuité, et exigeait la sobriété ; elle supposait aussi une variété de termes et surtout de tournures, docile à la qualité toujours changeante de l'impression à suggérer. Maupassant eut pour rêve constant de « tout dire » par le « simple mécanisme du substantif et du verbe » qu'il appréciait dans l'œuvre de Prévost et dans celle de Laclos et qui recélait à ses yeux une possibilité infinie de souplesse. La convenance, envisagée sous cet aspect, aboutissait à une pluralité de styles.
Il apparaît d'emblée que cette exigence-maîtresse, dans les conditions historiques que définissent d'une part les admirations, d'autre part le moment littéraire de cet écrivain, désignait en Maupassant un conciliateur du classicisme hérité et de l'impressionnisme artiste contemporain. On a été assez généralement sensible à la première tendance, et fort peu à la seconde. L'examen de ses procédés stylistiques le révèle pourtant désireux d'assouplir l'élégante rigueur de la première aux vertus expressives de la seconde, de tempérer les témérités, de briser les automatismes, de régénérer les préciosités de la seconde, avec un sens vivant de la raison et de la mesure inhérentes à la première. »

André VIAL, *Guy de Maupassant et l'art du roman*,
© Nizet, 1954, p. 569-570.

« Dans l'espace du récit bref chaque terme trouve une résonance. Le lecteur garde en mémoire les données de l'histoire. Il jouit d'une perception panoramique, ni le détail ni la totalité ne lui échappent. Ce point de vue d'observateur-voyeur lui est source de triomphe. Face au tableau synoptique il interprète chaque élément, l'intelligence du texte lui est acquise. Mais en même temps il découvre la complexité des réseaux. Les ricochets de la surface révèlent une profondeur. Il est pris de vertige : comme tout texte celui-ci est inépuisable. On comprend qu'il accueille avec soulagement des subterfuges comme la chute, la pointe, la virevolte. [...]
Sans doute est-ce l'effet principal de sa brièveté : elle incite à la relecture. L'ambition de l'auteur et le plaisir du lecteur s'accordent sur ce point. Ils savent que la nouvelle rend possible la découverte du même circuit par un nouveau parcours. »

Daniel GROJNOWSKI, Colloque de Cerisy, PUV Saint-Denis, 1988.

« Mais, bien qu'il ne se définisse jamais lui-même comme naturaliste, les tendances qu'il découvre avec le plus de sympathie dans la situation littéraire du moment, et en particulier dans le roman, convergent sur plus d'un point avec celles que Zola qualifie de *naturalistes.* Et sa poétique du roman offre plus d'un point commun avec celle de Zola. Les deux écrivains parlent dans des termes fort semblables de la "révolution" flaubertienne et en voient les mêmes manifestations : impersonnalité, élimination de l'intrigue, occultation de la composition, nouvelles conception et méthode de présentation des personnages, refus de l'analyse psychologique, importance attachée à la description. Toutes ces ressemblances ne doivent pourtant pas occulter les différences entre les deux écrivains. S'ils constatent les mêmes tendances dans la situation littéraire du moment, ils ne les expliquent pas de la même manière : Zola y voit l'effet d'une évolution continue et irrésistible de l'esprit humain vers toujours plus de vérité, évolution dont le naturalisme est pour lui le couronnement. Pour Maupassant, qui ne croit point au progrès, ces mêmes tendances ne sont qu'une réaction aux tendances opposées : "Après les naturalistes viendront j'en suis convaincu, des archiidéalistes, parce que les réactions seules sont fatales."

Persuadé que "le monde est notre représentation" et que "chacun de nous se fait donc simplement une illusion du monde", Maupassant n'assigne à la littérature aucune fonction investigatrice : "l'écrivain n'a d'autre mission que de reproduire fidèlement [son] *illusion* avec tous les procédés d'art qu'il a appris" et de la faire prendre au lecteur pour *réalité* : "les grands artistes sont ceux qui imposent à l'humanité leur illusion particulière" ».

Halina SUWALA, « Maupassant et l'écriture », Actes du Colloque de Fécamp, Nathan, 1993.

« L'œuvre de Maupassant se compose d'à peu près trois cents cas particuliers qui réfutent les lois humaines, mais dont la particularité est annulée en même temps par une fatalité inhumaine, non humaine, au point que l'auteur lui-même finit par donner des titres identiques à ses récits, par ignorer leur différence, obéissant à l'exigence fondamentale, plus forte que les autres, de répéter une histoire qu'il ne répétera jamais assez. À la surface, la simplicité amène d'une littérature de "table d'hôte", de textes faciles à aborder, à la portée de tous. Au fond, au fondement de la modernité de cette littérature, la simplicité terrible de notre histoire à tous : c'est sa banalité tragique qui rapproche Maupassant de Kafka. »

Antonia FONYI, *Maupassant 1993*, éditions Kimé, 1993.

Adapter Maupassant à l'écran

Pour le réalisateur Claude Santelli, Maupassant « est un formidable scénariste ».

« [...] Maupassant, je l'ai dit très souvent, mais il faut le répéter, est un formidable scénariste. C'est un homme qui écrit bref, et cela de toutes les manières. C'est-à-dire que l'on détecte immédiatement un possible sujet de scénario dans quasi chacune de ses nouvelles, un germe de scénario. Il faut ensuite travailler à la loupe parce que ce germe, il semble qu'il ait voulu le rétrécir, le condenser au maximum. Maupassant donne une sorte de coup de poing sur la table et, autour, il faut aller chercher ensuite les échos

multiples de ce coup de poing : dans une société, dans un paysage, dans un paysage social en particulier. Songeant à propos de Maupassant à la guerre de 70, c'est l'image de la grenade qui me vient : la grenade dans laquelle la poudre est extrêmement tassée, serrée, concentrée ; de la même manière il y a dans toute nouvelle de Maupassant un scénario serré, condensé en quelques lignes.
[...]
Arrivons-en maintenant au *regard* de Maupassant, qui est essentiellement cinématographique. Maupassant n'est pas un descriptif, un réaliste au sens traditionnel, ni un imaginatif, c'est un visionnaire. Il y a dans sa manière de contempler un personnage, un animal, un paysage, un lieu, un groupe humain, une acuité particulière du regard propre à déceler aussitôt le secret, la fêlure, le drame caché, l'inavoué, derrière le réel, une extraordinaire faculté à saisir l'instant qui fait basculer une anecdote du quotidien vers le fantastique. Et le cinéaste ne peut qu'être sensible à cette dimension. Allons plus loin : il y a dans son œuvre un appel – avoué ou non – aux grands mythes dramatiques.
[...]
Le problème de l'adaptation des grands romans tient généralement à cette opération affreuse et tyrannique : couper dans le texte parce que "ça ne tient pas en une heure et demie". C'est un procédé d'une vulgarité totale. Maupassant et ses nouvelles m'ont offert une cure extraordinaire de désintoxication, d'épuration de l'imagination, parce qu'il dit le minimum. »

Claude SANTELLI, « L'adaptation de Maupassant à l'écran »,
Actes du Colloque de Fécamp, Nathan, 1993.

LIRE, VOIR

BIBLIOGRAPHIE

Éditions

– MAUPASSANT, *Chroniques*, trois volumes, collection 10-18, UGE, 1980.

– MAUPASSANT, *Contes et nouvelles*, appareil critique de Louis Forestier, t. I et II, « Pléiade », Gallimard, 1974 et 1979.

– MAUPASSANT, *Contes et nouvelles (1875-1884)*, *Une vie*, *Contes et nouvelles (1884-1890)*, *Bel-Ami*, appareil critique de Dominique Frémy, Brigitte Monglond et Bernard Benech, « Bouquins », deux volumes, Laffont, 1988.

Critiques

– ACTES DU COLLOQUE DE FÉCAMP, *Maupassant et l'écriture*, sous la direction de Louis Forestier, Nathan, octobre 1993.

– Micheline BESNARD-COURSODON, *Étude thématique et structurale de l'œuvre de Maupassant : le piège*, Nizet, 1973.

– René BOUJON et Camille JAYET-CENDRON, séquence didactique à partir de *La Rempailleuse*, CDDP de la Drôme, 1990.

– COLLOQUE DE CERISY, *Maupassant. Miroir de la nouvelle*, Presses universitaires de Vincennes, 1988.

– Antonia FONYI, *Maupassant 1993*, Kimé, 1993.

– L'ÉCOLE DES LETTRES II, *Maupassant I*, n° 13, juin 1993 ; *Maupassant II*, n° 12, juin 1994.

– LE FRANÇAIS AUJOURD'HUI, *La Nouvelle*, revue de l'AFEF, n° 87, septembre 1989.

– MAGAZINE LITTÉRAIRE, *Maupassant*, n° 156, janvier 1980 ; n° 310, mai 1993.

– Pierre TRANOUEZ, *Sur deux Contes de la bécasse* : *Pierrot et Aux champs*, L'ÉCOLE DES LETTRES II, n° 1, septembre 1990.

– André VIAL, *Maupassant et l'art du roman*, Nizet, 1954.

FILMOGRAPHIE-VIDÉO

Adaptations télévisées :

– *Histoire d'une fille de ferme*, film de Claude SANTELLI, avec Dominique Labourier, 1973.

– *Aux champs*, film d'Hervé BASLÉ, production de Claude SANTELLI, avec Marylin Even, Bernadette Le Saché, 1986.

– *Hautot père et fils*, film de Claude SANTELLI, avec Alexis Nitzer, Christian Cloarec, *L'Ami Maupassant*, 1986.

– *L'Enfant*, film de Claude SANTELLI, avec J.-P. Bouvier, Anne Consigny, *L'Ami Maupassant*, 1986.

– « Spécial Maupassant », APOSTROPHES, A2, 27 juillet 1979.

– *Guy de Maupassant*, film de Michel DRACH avec Claude Brasseur, 1982.

LE PARLER NORMAND DANS *L'ENFANT*

Maupassant prête un parler spécifique aux paysans normands dans ses nouvelles, surtout quand il a besoin de souligner la différence sociale entre des personnages. Ainsi le langage des paysans de la nouvelle *Aux champs* tranche-t-il avec celui des Hubières. En revanche, les paysans d'*Histoire d'une fille de ferme* s'expriment généralement en français courant. Les caractéristiques du parler paysan normand sont celles d'un parler populaire du nord de la France avec quelques traits spécifiques normands.

La prononciation

1. La contraction de syllabes : « Ousque » pour *où est-ce que.*
2. La suppression de voyelles : « M'man » ; « Le r'voilà », etc.
3. La suppression de sons consonnes : « pé » pour *père* ; « fé » pour *faire* ; « quéque » pour *quelque.*
4. L'altération des voyelles :
- Voyelle *é* pour *oi* : « mé, té » pour *moi, toi.*
- Voyelle *a* pour *è* : « a » ou « alle » pour *elle.*
- Voyelle *é* pour *en* : « éfant » pour *enfant.*
- Voyelle *i* pour *ui* : « li » pour *lui*, « et pi » pour *et puis.*

Les constructions grammaticales

1. La négation : « point » pour *ne... pas.*
2. Sujet singulier et verbe pluriel : « j'avons » pour *j'ai.*
3. Le complément du nom introduit par *à* au lieu de *de* : « le petit aux Vallin » pour *le petit des Vallin.*
4. L'interrogation reprise par *-ti* : « j'vous fais-ti tort ? »
5. *Qui* au lieu de *qu'il* : « On dirait qui nous connaît » pour *qu'il nous connaît.*

Le vocabulaire

« Fieu » pour *fils*, « j'sieus » pour *je suis.*
« Mâquer » pour *manger* ; un « niant » pour un *bon à rien (néant)* ; « s'éluger » pour *s'inquiéter.*

LES TERMES DE CRITIQUE

Accumulation : succession de mots appartenant souvent au même champ lexical, suggérant le désordre et un nombre ou une quantité indéterminés. On dira **énumération** quand il y a un dénombrement complet. Dans la **gradation**, les mots sont rangés en ordre croissant ou décroissant d'intensité.

Anticipation : le narrateur insère dans son récit l'annonce d'un événement ou d'un fait qui ne s'est pas encore produit. Le lecteur sait à l'avance ce qui va arriver aux personnages.

Antiphrase : procédé d'ironie : dire le contraire de ce qu'on veut laisser entendre.

Argumentation : argumenter, c'est chercher à convaincre quelqu'un pour le rallier à une opinion ou pour modifier sa conduite. L'argumentation doit être adaptée à l'interlocuteur qu'on souhaite convaincre. Elle peut se présenter sous la forme d'un texte argumentatif (type devoir de réflexion) et apparaître dans un texte narratif : dialogues ou récits à intention argumentative. Les arguments sont articulés par des **connecteurs logiques** (conjonctions et locutions conjonctives de coordination ou de subordination, ou adverbes exprimant la cause, l'hypothèse, la conséquence, l'opposition), ainsi que par la ponctuation.

Auteur : voir **Narrateur**.

Caractérisation du personnage : elle est directe (un portrait) ou indirecte (ses paroles et actions donnent des indications).

Caricature : on présente une personne sous un jour très défavorable. Le choix des détails et l'exagération des traits visent à la rendre ridicule ou déplaisante.

Champ lexical : ensemble des termes (verbes, noms, adjectifs, adverbes, expressions) qui se rapportent à une même notion.

Choix narratif : le narrateur, en vue de l'effet qu'il veut produire, choisit de raconter ou passer sous silence des éléments de l'histoire.

Chute : façon d'arrêter un récit. La situation finale est amenée brusquement dans les toutes dernières lignes et ne constitue pas obligatoirement un dénouement.

Comparaison : image qui rapproche deux termes. Le **comparé** est relié au **comparant** par un **outil** grammatical ou lexical. Leur **point commun** est exprimé.

Exemple :

Elle a des

cheveux	*noirs*	*comme*	*l'ébène.*
c^{é}	**point commun**	**outil**	**c^{ant}**

Connecteur logique : voir **Argumentation**.

Connotation : tout ce qu'un mot peut évoquer dans l'esprit du lecteur en dehors de son sens strict. Ex. : source 5 eau, fraîcheur, origine, vie…

Découpage technique : découpage d'un scénario indiquant les plans, les angles de prise de vue, les mouvements de caméra. Le **scénarimage** (ou **story-board**) est le découpage technique avec des dessins de chaque plan.

Dénouement : les conflits de l'histoire se « dénouent » dans la situation finale.

Description (fonctions de la) : la description est une composante du récit ; elle peut : permettre une péripétie, expliquer la conduite des personnages, révéler ou confirmer des traits de caractère, symboliser les désirs ou idées des personnages, participer à la vraisemblance du récit.

Didascalie : terme du lexique technique propre au texte théâtral ; tout ce qui n'est pas prononcé par les acteurs et qui constitue des indications pour la mise en scène, le ton et le jeu des acteurs.

Discours rapporté : on distingue :
– Le **discours direct** : les propos sont rapportés intégralement, en général entre guillemets. La citation est précédée d'un verbe introducteur ou signalée par une incise. Ex. : Elle me répondit : *« Je viendrai te voir demain. »* Il est toujours utilisé dans les **scènes** et participe à la **caractérisation indirecte des personnages**.

– Le **discours indirect** : les propos sont intégrés au récit et rapportés dans une proposition subordonnée, ce qui entraîne des modifications de temps et de personne. Ex. : Elle me répondit *qu'elle viendrait me voir le lendemain.*

– Le **discours indirect libre** : il rapporte les propos en les assimilant au récit (modifications de temps, de personne), mais en conservant la structure de phrase du discours direct. Ex. : Elle me fit part de son accord : *elle viendrait me voir le lendemain.* Il permet aussi de caractériser indirectement les personnages.

Dramatisation : ensemble des procédés par lesquels l'écrivain accentue l'importance des événements qu'il raconte, suscitant ainsi la curiosité et l'attente du lecteur.

Effet de réel : illusion de réalité suscitée chez le lecteur par la précision des noms, des lieux, de l'époque et par l'utilisation des déterminants définis et du discours direct.

Ellipse : voir **Rythme de la narration**.

Enchâssé (récit) : c'est un récit emboîté dans un autre : quelqu'un raconte que quelqu'un lui a raconté quelque chose.

Énumération :voir **Accumulation**.

Étapes : voir **Récit**.

Explicite : qui est formulé.

Finale (situation) : voir **Récit**.

Gradation : voir **Accumulation**.

Implicite : qui n'est pas formulé mais sous-entendu.

Incipit : premier mot ou première phrase d'un récit. On peut étendre l'incipit au premier paragraphe ou à la première page qui constitue l'ouverture du roman.

Initiale (situation) : voir **Récit**.

Ironie : moquerie implicite qui invite le lecteur à porter un regard critique sur le personnage ou une situation. Les procédés les plus courants sont l'**antiphrase,** la **litote** (dire *frais* pour *glacial*), le décalage entre les mots utilisés et le contexte.

Métaphore : image qui rapproche deux termes sans que leur point commun soit énoncé et sans l'utilisation d'un outil grammatical ou lexical. C'est une comparaison elliptique.

Exemple :

Elle a des cheveux d'ébène.

$c^{é}$ c^{ant}

Narrateur : le narrateur est celui qui raconte, être de papier qu'il faut distinguer de l'auteur (personne concrète qui existe ou a existé). Le narrateur peut être extérieur à l'histoire ou être un des personnages de celle-ci.

Narration : c'est la façon de raconter, la transformation en texte des événements de l'histoire ou **fiction** (ce qui est raconté). Narration et histoire forment ensemble le récit.

Paragraphe : division d'un texte signalée par un passage à la ligne (alinéa). Le changement de paragraphe se justifie par le changement de sujet, de temps, de lieu… Un regroupement de paragraphes peut constituer une partie ou un chapitre, signalés par une numérotation, un espace vierge ou un changement de page.

Pathétique : voir **Ton**.

Pause : voir **Rythme de la narration**.

Personnage : être de papier auquel sont attribuées les caractéristiques d'un être humain. Il est **caractérisé** et a une fonction dans le récit (voir **Schéma actantiel**).

Personnification : elle attribue à un objet ou à un animal des traits ou des comportements humains.

Point de vue narratif : l'histoire peut être racontée :
– par un narrateur extérieur à l'action, qui ne rapporte que ce qu'il est censé voir et entendre. C'est le **point de vue externe**. Le lecteur n'a pas accès à la pensée ni au passé des personnages. Cette façon de raconter ne se rencontre que dans des romans du XXe s. ;
– par un narrateur extérieur à l'histoire qui sait tout des personnages : un **narrateur omniscient** ;
– à travers le regard et la façon de penser d'un des personnages : c'est le **point de vue interne**.

Deux cas particuliers : a) Le narrateur est un des personnages de l'histoire, c'est donc de son point de vue que les faits sont racontés. b) L'auteur peut intervenir dans la narration pour donner son sentiment ou un commentaire.
Chez Maupassant, on a le plus souvent un narrateur omniscient qui adopte temporairement le point de vue d'un des personnages. Les interventions de l'auteur sont discrètes et souvent ironiques.

Récit (étapes du) : la **situation initiale** (du début) est une situation d'équilibre relatif. Cet équilibre est perturbé par un **événement** ou par l'**intervention d'un personnage extérieur**. Puis des améliorations ou des dégradations de la situation se succèdent : ce sont les **étapes du récit**. Dans la **situation finale**, on retrouve une situation d'équilibre généralement différente de celle du début, améliorée ou détériorée.

Redondance : redoublement expressif d'une idée, par reprise du même terme ou de termes apparentés.

Reprise : répétition de la même idée avec un autre mot.

Rétrospective : le narrateur revient en arrière pour raconter un événement qui s'est produit antérieurement.

Rythme de la narration : c'est le rapport entre la durée de l'histoire et la longueur du texte qui la raconte. La plupart des récits utilisent :
– la **pause** : une description ou un commentaire interrompent l'action (procédé de ralentissement) ;
– la **scène** : elle raconte en totalité ce qui se passe à un moment donné. Le temps de la narration tend à coïncider avec celui de la fiction. Il y a souvent des dialogues ;
– la **digression** : la narration y abandonne le sujet de la fiction temporairement (commentaires par exemple). C'est un procédé de ralentissement ;
– le **sommaire** : il résume les événements de façon plus ou moins concise. Le temps de la narration tend à être inférieur à celui de la fiction (procédé d'accélération) ;
– l'**ellipse** : des événements de la fiction sont passés sous silence par la narration. C'est un procédé d'accélération. L'ellipse peut être explicite (« Dix ans plus tard ») ou implicite.

Scénarimage : voir **Découpage technique**.

Scène : voir **Rythme de la narration**.

Schéma actantiel : il représente les relations entre les **actants** (personnages ou forces agissantes) d'un récit. On peut faire le schéma actantiel d'un personnage (**sujet**) en se demandant : ce qu'il cherche (**objet**), qui lui a fixé ce but (**destinateur**), pour qui il agit (**destinataire**), qui ou quoi l'aide (**adjuvants**), qui ou quoi fait obstacle (**opposants**). Excepté le sujet, les actants peuvent être aussi bien des humains que des idées ou des objets.

Destinateur ↘ Objet → Destinataire
↑
Adjuvants → Sujet ← Opposants

Séquence : unité narrative ou descriptive (voir **Récit**, **Description**, **Pause** et **Scène**).

Situation initiale, Situation finale : voir **Récit (étapes du)**.

Sommaire : voir **Rythme de la narration**.

Symbole : les champs lexicaux, les comparaisons et métaphores, les connotations peuvent donner à un texte un sens symbolique. Des gestes, des objets sont les symboles d'idées ou de sentiments. Ainsi la colombe est le symbole de la paix. La description d'une tempête peut symboliser le malheur d'un personnage.

Symboliser : être le symbole de.

Ton : coloration générale d'un texte selon l'effet qu'on veut produire sur le lecteur. Le ton **pathétique** vise à émouvoir, les tons comiques à faire rire. On distingue l'**humour** qui feint de donner pour rationnel ce qui ne l'est pas, l'**ironie** qui consiste à dire le contraire de ce qu'on pense tout en faisant comprendre qu'on ne pense pas ce qu'on dit, le **comique** qui recourt à tous les procédés pour susciter le rire (gestes, mimiques, situations, quiproquos, etc.).

POUR MIEUX EXPLOITER LES QUESTIONNAIRES

Ce tableau fournit la liste des rubriques utilisées dans les questionnaires, avec les renvois aux pages correspondantes, de façon à permettre des **études d'ensemble** sur tel ou tel de ces aspects (par exemple dans le cadre de la lecture suivie).

RUBRIQUES	PAGES
GENRES	25, 68, 74, 94, 119, 133, 162, 167, 178
PERSONNAGES	53, 64, 68, 100, 109, 162
QUI PARLE ? QUI VOIT ?	25, 68, 78, 142
REGISTRES ET TONALITÉS	25, 53, 133, 149, 167
SOCIÉTÉ	34, 64, 87, 100, 117, 128, 149, 178
STRATÉGIES	78, 94, 109, 149
STRUCTURE	34, 87, 119, 128, 142
THÈMES	25, 34, 53, 64, 74, 87, 100, 109 117, 128, 133, 142, 162

TABLE DES MATIÈRES

REGARDS SUR L'ŒUVRE

L'ENFANT ET AUTRES HISTOIRES DE FAMILLE

L'UNIVERS DE L'ŒUVRE

ANNEXES

COUVERTURE : Marylin Even (La Mère Tuvache) dans *Aux Champs*, film télévisé, 1986. Adaptation, scénario, dialogues et réalisation : Hervé Baslé ; production : Claude Santelli.

CRÉDITS PHOTO :
Couverture : Ph. © J. Morell/Corbis-Kipa. – p. 2 : Ph. © H. Josse/Archives Larbor/T. – p. 3 : Ph. © Bridgeman-Giraudon/Lauros/T. – p. 4 : Ph. Coll Archives Larbor/T. – p. 5 ht : Ph. © H. Josse/Archives Larbor/T. – p. 5 bas : Ph. Coll Archives Larbor/T. – p. 6 : Ph. © Musée de Tessé, Le Mans/T. – p. 7 ht : Ph. © Bridgeman-Giraudon/T. – p. 7 bas : Ph. © Vauthier/Sipa/T. – p. 8 : Ph. © H. Josse/Archives Larbor. – p. 12 : Ph. Coll Archives Larbor-DR. – p. 15 : Ph. Coll Archives Larbor. – p. 18 : Coll Sirot-Angel. Ph. © X-DR. – p. 27 : Ph. Coll Archives Larbor/T. – p. 80 : Ph. Coll Archives Larbor/T. – p. 91 : Ph. Coll Archives Larbor-DR/T. – p. 102 : Ph. © L.L/Viollet/T. – p. 130 : Ph. © Lauros/Bridgeman-Giraudon/T. – p. 175 : Ph. Coll Archives Larbor/T.

Direction éditoriale : Pascale Magni – *Coordination* : Franck Henry – *Édition* : Brigitte Osmont – *Révision des textes* : Lucie Martinet – *Iconographie* : Christine Varin – *Maquette intérieure* : Josiane Sayaphoum – *Fabrication* : Jean-Philippe Dore – *Compogravure* : PPC.

 – ISBN : 978-2-04-730362-7

Imprimé en France par France Quercy – N° de projet : 10188597 - Dépôt légal : juin 2012

Dépôt légal 1re édition : août 2003